Sr Gum
e os
Goblins

Escrito por Andy Stanton

Ilustrado por David Tazzyman

Traduzido por Luiz Antonio Aguiar

Rio de Janeiro | 2010

CIP-BRASIL. CATALOGAÇÃO-NA-FONTE
SINDICATO NACIONAL DOS EDITORES DE LIVROS, RJ

S729s

Stanton, Andy
Sr. Gum e os goblins / escrito por Andy Stanton; ilustrado por David Tazzyman; tradução de Luiz Antonio Aguiar. - Rio de Janeiro: Galera Record, 2010.
il. - (Sr. Gum; 3)

Tradução de: Mr. Gum and the Goblins
ISBN 978-85-01-08207-7

1. Novela infanto juvenil inglesa. I. Tazzyman, David. II. Aguiar, Luiz Antonio, 1955-. III. Título. IV. Série.

10-0618 CDD: 028.5
CDU: 087.5

Título original em inglês:
Mr. Gum and the Goblins

Edição original em língua inglesa publicada primeiramente em 2007 sob o título *Mr. Gum and the Goblins* por Egmont UK Limited, 239 Kensington High Street, Londres W8 6SA.

Composição de miolo e capa: Celina Carvalho

Direitos exclusivos de publicação em língua portuguesa somente para o Brasil
adquiridos pela
EDITORA RECORD LTDA.
Rua Argentina 171 — Rio de Janeiro, RJ — 20921-380 — Tel.: 2585-2000
que se reserva a propriedade literária desta tradução

Impresso no Brasil

ISBN 978-85-01-08207-7

PEDIDOS PELO REEMBOLSO POSTAL
Caixa Postal 23.052 - Rio de Janeiro, RJ - 20922-970

Para Tom Ralis

e sua turma da escola de Cherry Orchard.

Sumário

Conheça alguns dos habitantes de Lamonic Bibber

Sra. Gracinha

Sexta-Feira O'Leary

Billy William III

Vovó velha

Sr. Gum

Martin Lavanderia

Alan Taylor

Polly

Capítulo 1

No Auge do Inverno

Era o Auge do Inverno e a pequena cidade de Lamonic Bibber permanecia sob um cobertor de neve e gelo. Para todo lado que se olhava, havia neve e gelo. Nas árvores — neve e gelo. No chão — neve e gelo. Dentro do Museu da Neve e do Gelo — neve e gelo. Era o inverno mais frio de que qualquer um podia se lembrar.

Dentro das pousadas e tavernas, os homens do lugar se sentavam ao redor de fogueiras de troncos em brasa, bebendo suas cervejas e contando histórias de heróis que jamais-seriam-esquecidos, como Qualeramesmoonomedele e Aquele Cara Alto de Camisa que Matou Todos Aqueles Dragões. Nas casas, mães punham seus filhos pequenos na cama, acalmando-os com suaves cantigas de ninar sobre leões ferozes e crocodilos. Numa pequena cabana no prado, um

hobbit lia sem parar *O senhor dos anéis* enquanto deixava seus pés no micro-ondas para aquecê-los. Era o Auge do Inverno, isso aí.

As ruas de Lamonic Bibber estavam tranquilas naquela hora tão avançada, mas naquele momento soaram passos, e três vultos surgiram na rua alta. E agora vou lhe dizer quem eram porque já vi esses caras antes — e talvez você os conheça também.

O líder era Sexta-Feira O'Leary, um velho sábio que conhecia os segredos do Tempo e do Espaço. Ele levava uma lanterna que emitia uma luz fantasmagoricamente amarelada sobre as pedras das ruas, todas cobertas de gelo. Atrás vinha uma menina de nove anos chamada Polly. Ela também levava uma lanterna, que reluzia valente e verdadeira, assim como seu coração forte e puro. E por último vinha o pequeno Alan Taylor, diretor da **Escola Santo Pterodátilo para os Pobres**. Ele era um homem biscoito com músculos elétricos e tinha somente 15,24 centímetros de altura. Alan Taylor era pequeno demais para carregar uma lanterna, mas havia coberto uma bolota de carvalho com tinta fluorescente e isso dava pro gasto.

— Já é tarde, amigos — sussurrou Sexta-Feira O'Leary quando os sinos da igreja tocaram dez horas, repicando como gigantescos marshmallows naquela noite de inverno. — Devíamos todos seguir para casa, pois quem há de saber se espíritos estranhos não estão vagando por aí no Auge do Inverno?

— Não existe isso de espíritos estranhos, amável Sexta-Feira — disse Alan Taylor, rindo. — Acho que você está passando tempo demais nas tavernas, escutando histórias de bêbados tolos!

— Ei — disse Polly —, por que todos estão falando engraçado, como nos livros antigos esquisitos? A gente só saiu para comprar um espetinho e levar para comer em casa.

Mas, bem naquele instante, um gemido horrível cresceu no vento como um cantor de ópera desafinado sendo arrastado num quadro-negro. Polly e Alan Taylor pularam de medo e Sexta-Feira fez 12 flexões de tanto terror.

— **URGH!** — disse ele, tremendo todo. — O que foi aquilo?

— Nem imagino — disse Polly, e engoliu em seco. — Mas não gosto do som daquele som nem um pouquinho.

— E se... — guinchou Alan Taylor, bravamente lutando para não ficar apavorado de vez. — E se for o sr. Gum?

Então, à menção daquele nome, os três ficaram muito quietos porque não havia nada pior do que o sr. Gum, nem mesmo cair acidentalmente num vulcão cheio de professores de matemática. Porque o sr. Gum e o seu malvado amigo Billy William III eram os piores criminosos que já tinham pisado em Lamonic Bibber. E já haviam praticado algumas das mais horrendas coisas de todos os tempos por lá, como por exemplo:

1. Tentar envenenar o imenso cachorro chamado Jake até levá-lo à morte e à destruição;

2. Tentar roubar 1 milhão de dinheiros do coitado do pequenino Alan Taylor;

3. Um monte de outras coisas das quais eu não consigo lembrar neste momento.

— Mas, Alan Taylor, ninguém vê o sr. Gum há séculos — disse Polly.

— Ora, ele pode ter voltado — replicou Sexta-Feira, muito sério. — É como diz o famoso ditado: *Ele pode ter voltado*. Vamos investigar!

E os três amigos foram ver o que era aquilo, as lanternas balançando, na esperança de vencer a escuridão. A cada passo eles ouviam o gemido ficar mais e mais alto, até que...

AAAAAAAIIIIIIIIII

— Está vindo do beco que fica nos fundos da loja de doces da sra. Gracinha — disse Sexta-Feira e, no que ele pronunciou essas palavras, uma figura encurvada surgiu na estreita passagem, cambaleando em direção a eles com os braços esticados como uma múmia. Não como uma múmia simpática, obviamente, mas daquele tipo com ataduras velhas e empoeiradas, que sempre persegue você pelo museu à noite porque foi você quem a desenterrou da pirâmide, e isso porque você é um cientista e é isso que os cientistas fazem.

— Peraí — disse Polly, franzindo a testa. — Nós não andamos mexendo com pirâmides recentemente. Não pode ser uma múmia. Na verdade — ela exclamou —, é a sra. Gracinha! E ela está totalmente acabada!

— NÃO! — gritou Sexta-Feira angustiado, porque a sra. Gracinha era sua esposa e ele a amava como amava um bom churrasco. — *NÃO!* — ele gritou na noite fria, muito fria. — *NÃOOOO!*

Capítulo 2

A Conversa do Diabo

Mas, infelizmente, era mesmo a sra. Gracinha, proprietária da loja de doces e de guloseimas em geral. Lá vinha ela, meio cegueta, tropeçando em caixas de pizza vazias e gemendo dolorosamente sem parar. Logo Sexta-Feira correu para ajudá-la, oferecer-lhe consolo e alguns amendoins — e ela desabou inconsciente nos braços dele. Tudo muito dramático e tal e coisa.

— O que lhe aconteceu! — exclamou Sexta-Feira soluçando, apertando a sra. Gracinha contra sua orelha. — Que mal se abateu sobre você, ó esposa querida?

— Guarde suas perguntas, Sexta-Feira — aconselhou Alan Taylor. — A sra. Gracinha está em estado de choque e vai precisar de mais do que amendoins para poder nos contar sua terrível história. Vamos! Vamos levá-la para um lugar onde ela possa descansar.

Então, juntos, os heróis levaram a sra. Gracinha para uma pousada próxima. Uma tabuleta em cima da porta dizia:

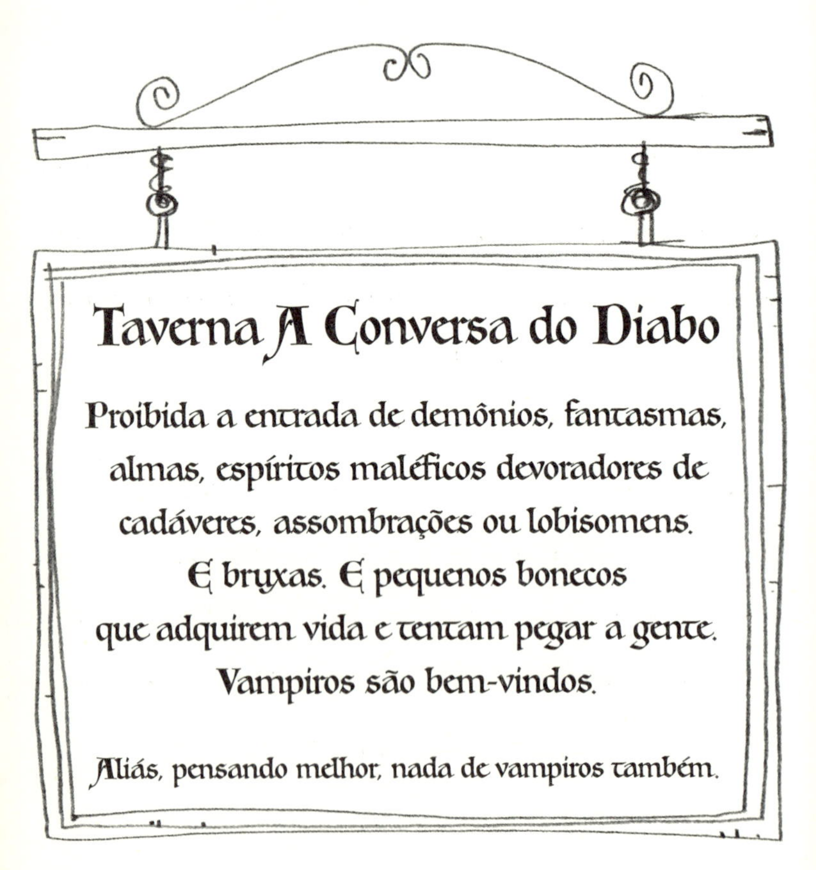

Polly abriu a pesada porta de madeira e eles entraram. Estava quente e acolhedor ali dentro e eles ficaram contentes por saírem do frio — mas, quando entraram, tudo ficou quieto de repente. Os homens pararam de cantar suas músicas alegres e pareciam ter ficado com medo.

— DEMÔNIOS! — gritou um deles, muito assustado, apontando os dedos trêmulos para os visitantes. — É uma horda de demônios que veio devorar nossos ossos!

— Tem razão, Jack! — retrucou outro. — São demônios com certeza!

Nisso os homens entraram em pânico, escondendo-se debaixo das cadeiras, das mesas, em canecos de cerveja — onde conseguiram se enfiar. Um homem se disfarçou de máquina de vender frutas e ficou encolhido num canto, coberto de cerejas e cuspindo moedas.

— Caramba, mas vocês são muito ignorantes — disse Polly, indignada. — Nós não somos demônios.

— Nem um pouquinho? — perguntou um deles, nervoso.

— Não — respondeu Polly com firmeza. — Vocês bebem cerveja demais e isso deixa o cérebro de vocês todo confuso, fantasiando coisas. Agora, todo mundo para casa, pessoal. Vão dormir. E não me culpem se tiverem terríveis dores de cabeça de manhã. Não vai ser nenhuma surpresa.

— Tá bem, menina de nove anos — disseram os homens —, você é quem manda. Não sei por quê, mas é. — E lá foram eles para casa.

— Lamento por esta história de demônios — disse o dono da hospedaria, enquanto conduzia Polly e seus amigos para cima. — Mas, embora estivessem bêbados, os homens têm motivos para ficar com medo. Nunca se sabe QUEM entra pela porta nesta terrível época do ano, quando espíritos e monstros perambulam por aí. Ora, na semana passada mesmo, um esqueleto diabólico apareceu e fez cocô no tapete. Como eu odeio o Auge do Inverno! — ele exclamou. Então, o dono da hospedaria levou os heróis a um pequeno e aconchegante quarto com chão de tábuas de madeira, fez uma mesura e sumiu de vista, descendo as escadas.

Com muito cuidado, Sexta-Feira deitou a sra. Gracinha na pequena cama. Polly arrumou um pano e, suavemente, tirou a lama do bondoso rosto da sra. Gracinha. E Alan Taylor pulou para o queixo dela e, gentilmente, passou fio dental em seus bondosos dentes.

— Eu fico de guarda primeiro — disse Sexta-Feira, puxando uma cadeira. — Se ela acordar, acordo vocês também. Mas até lá, ela não deve ser perturbada. A VERDADE É UM MERENGUE DE LIMÃO! — gritou ele com toda a força, como gostava de fazer às vezes.

Imediatamente, os olhos da sra. Gracinha se abriram e ela se sentou de um pulo, reta e dura, como um panda assustado pego roubando bambu.

— Ahn? Hein? Bóing? — ela murmurou, olhando ao redor, confusa. — Onde estou?

— Não tema, sra. G. — exclamou Sexta-Feira. — Pois aqui estou eu, seu amado marido.

— Ah, olá, Sexta-Feira — disse a sra. Gracinha, sem forças. — O que está acontecendo?

Mas, de repente, ela prendeu a respiração e se cobriu com a colcha até a bochecha, aterrorizada.

— Montanha dos Goblins! — murmurou ela, sob a luz de vela bruxuleante. — Lembrei agora!

— Conte-nos sua história, queridíssima esposa — disse Sexta-Feira, meigamente encostando seu nariz no dela. — Mas você pode fazer isso numa canção? — perguntou ele, ansioso.

— Agora não é hora para canções, meu amor — replicou a sra. Gracinha. — Além disso, estou fraca e ferida. Vou contar do jeito normal.

— Báá! — exclamou Sexta-Feira, frustrado, mas a sra. Gracinha estava determinada a contar a história do jeito dela.

— Foi assim — começou. — Vocês sabem que estou sempre atrás de ervas raras para fazer meus doces. Bem, as melhores crescem na Montanha dos Goblins. Então, esta manhã, bem cedo, subi lá para colher ervas. Mas logo caiu uma tempestade de neve. Eu não conseguia ver nada. E foi aí que, de repente, eu me vi sendo atacada por criaturas desconhecidas! Elas me morderam e me arranharam e achei que era meu fim, mas eu lutei e, de alguma maneira, me soltei e escapei delas. Depois disso, não me lembro de nada e agora aqui estou, sã e salva. Iupi!

— Que criaturas eram essas, você sabe? — perguntou Polly.

— Não tenho certeza... — disse a sra. Gracinha. — Por isso é que eram criaturas desconhecidas. Mas, como expliquei, isso aconteceu na Montanha dos Goblins, junto da Caverna dos Goblins, onde o Rio dos Goblins corre suave e azul.

— Hum... — disse Sexta-Feira, pensativamente, torcendo seu famoso bigode imaginário de detetive — Montanha dos *Goblins*... Caverna dos *Goblins*...Humm...Goblins...Goblins...Tudo aponta para uma coisa só, sra. Gracinha — ele anunciou triunfante —, foram texugos que atacaram você. Uma gangue de texugos selvagens enlouquecidos pelo frio do inverno e por comerem açúcar demais!

— Vamos pegá-los! — gritou Polly, botando sua cabeça para fora da janela em direção à Montanha dos Goblins. — Ei! Seus texugos! — ela gritou, para o caso de eles poderem escutar a longas distâncias, como baleias ou telefones. — Vocês foram longe demais dessa vez, seus pilantras de uma figa! Vamos acabar com vocês!

Durante esse tempo todo, Alan Taylor tinha ficado sentado num cinzeiro da mesinha de cabeceira, ouvindo com cuidado. E agora era sua vez de falar. Porque ele conhecia tudo sobre o mundo natural e era por isso que era o diretor da Escola Santo Pterodátilo para os Pobres.

— Acho que não foram texugos — ele disse. — Pensem: texugos geralmente aparecem à noite, e a sra. Gracinha foi atacada de dia. Além do mais, texugos geralmente atacam pequenos mamíferos tais como arminhos, ratos e marmotas (um tipo de esquilo grande). É difícil que tenham atacado a sra. Gracinha. Sabem o que eu acho que foi?

— Texugos? — perguntou Sexta-Feira, que não estava prestando muita atenção.

— Não — disse Alan Taylor —, eu acho que foram os goblins.

— Goblins?! — sussurrou Polly, com medo.

— Goblins?! — gemeu a sra. Gracinha, amedrontada.

— Goblins — reforçou Alan Taylor, sério.

Então, a Lua deslizou por trás de uma nuvem

e sua luz se infiltrou pela sala como um dedo comprido de um esqueleto. E do alto da Montanha dos Goblins, tiveram a impressão de escutar uma risada terrível. Provavelmente foi imaginação deles, mas mesmo assim ficaram arrepiados.

Capítulo 3

Na corte do rei Goblin

Vamos agora para longe, bem longe do quarto de hospedaria onde nossos heróis estavam, paralisados e inteiramente arrepiados. Longe, bem longe da rua alta, onde Martin Lavanderia está trabalhando numa **INVENÇÃO MUITO SECRETA** que, provavelmente, só será explicada daqui a pouquinho. Longe, bem longe da floresta nos limites da cidade, onde fica a cabana secreta de Sexta-Feira. Longe, bem longe de Lamonic Bibber e mais longe ainda lá vamos nós, atravessando os campos e rios congelados, até chegarmos a um lugar onde a neve cai como a caspa de Frankenstein e o vento uiva como Drácula quando dá uma topada com o dedão do pé na mesa de centro. Onde o caminho é difícil, íngreme e sinuoso, e onde a luz do sol parece nunca brilhar — a

Montanha dos Goblins!

Capitão Goró

Subindo e subindo a fria e nua encosta da montanha, lá vamos nós, quase até o topo, até uma horrível fenda aberta na pedra, com uma entrada toda irregular. E um terrível alarido está vindo daquele buraco, como jamais se ouviu. Isso porque era a Caverna dos Goblins, o que significa que estava cheia de... GOBLINS!

Gabão

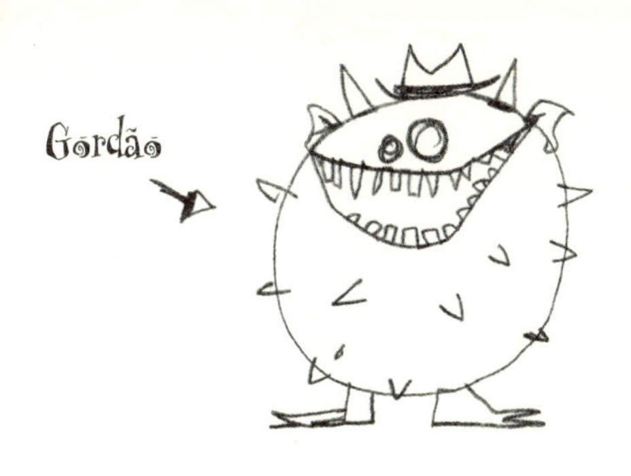

Tem uns grandões, uns pequenininhos,
E uns mais ou menos. Goblins!
Uns sem pelos, outros peludos, outros enormes,
assustadores e sujos. Goblins!
Tem uns gigantes, outros minúsculos, pequenos,
espinhosos e detestáveis. Goblins!
Uns fedorentos, outros limpos, não, mentira,
todos são fedorentos.

GOBLINS!

Ei, é o Grogue de novo!

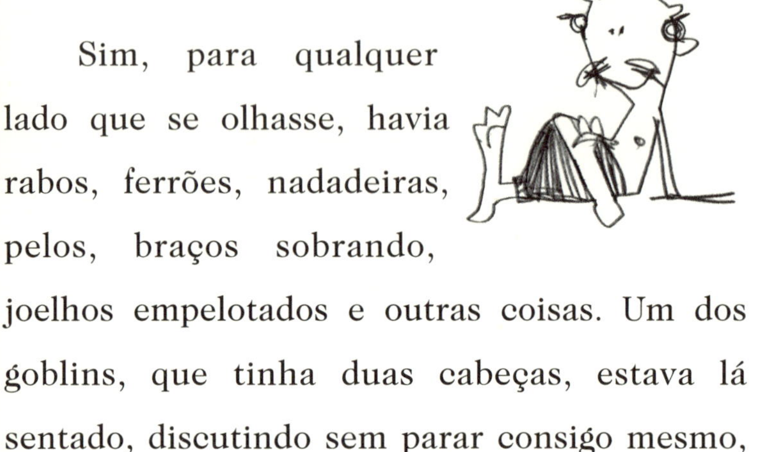

Sim, para qualquer lado que se olhasse, havia rabos, ferrões, nadadeiras, pelos, braços sobrando, joelhos empelotados e outras coisas. Um dos goblins, que tinha duas cabeças, estava lá sentado, discutindo sem parar consigo mesmo, não foi ele, foi ele sim, não foi ele.

Ah, e isso sem falar das maldades! Aqueles goblins estavam sempre armando confusão — arranhando e mordendo, pendurando-se no teto e babando sobre os que estavam embaixo,

Gravatinha tendo uma conversinha amistosa com outro goblin

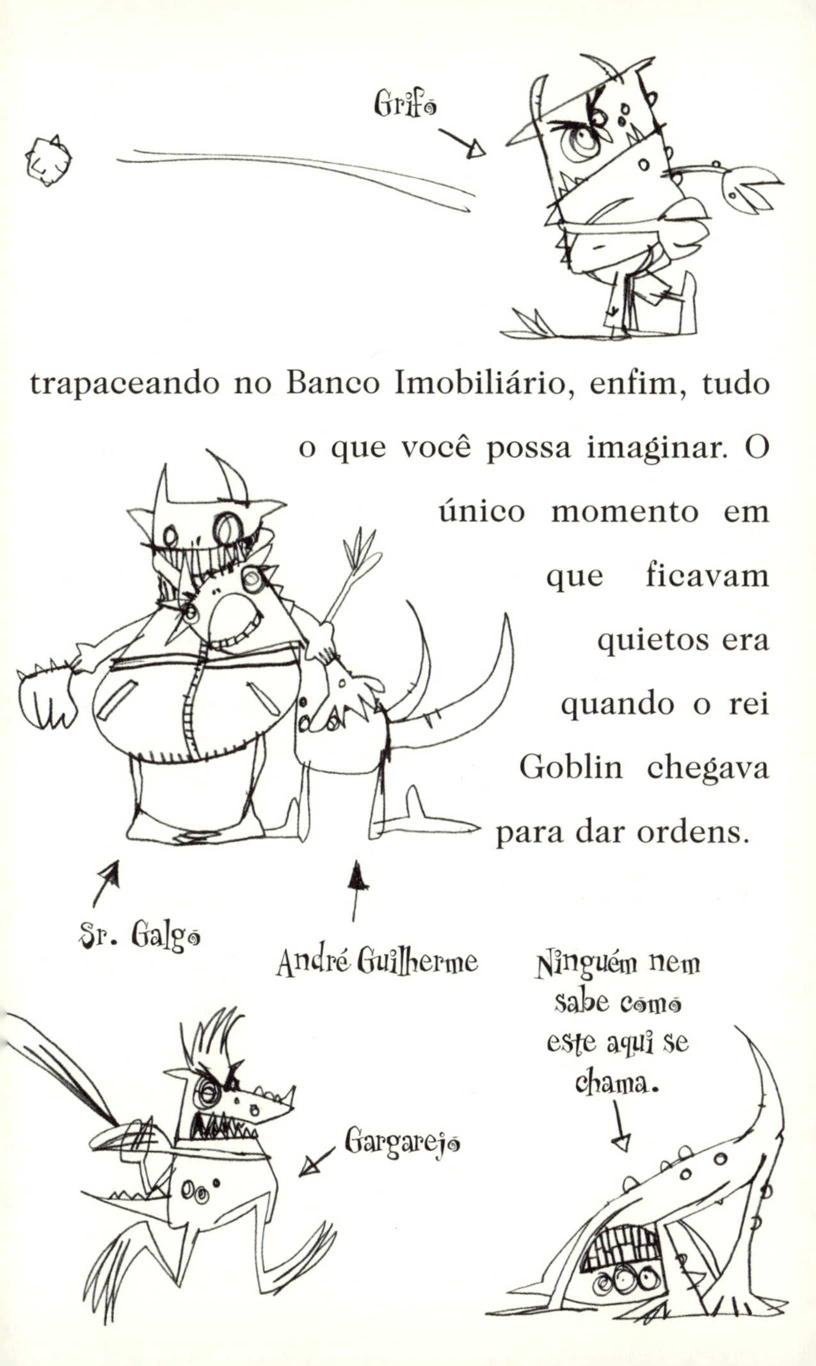

trapaceando no Banco Imobiliário, enfim, tudo o que você possa imaginar. O único momento em que ficavam quietos era quando o rei Goblin chegava para dar ordens.

E lá estava ele, sentado bem no meio de todo aquele caos, esparramado no grande trono feito de uma cadeira de dentista enferrujada que ele havia encontrado na montanha certa tarde. Seus olhos estavam vermelhos e injetados, e os longos dedos cruéis chocalhavam com os anéis de prata que ele tinha roubado de pensionistas idosos. Na sua comprida barba vermelha havia uma esmeralda verde escura, brilhando asquerosamente. Juro, os goblins adoravam aquela joia grande e pesada! "COUSA BRILHANTE!", gritavam quando a joia refletia algum raio de luz.

COUSA BRILHANTE! COUSA BRILHANTE! COUUUSA BRILHAAANTE! Aquela gritaria toda deixava maluco o rei Goblin, mas ele tinha de aturar tudo aquilo. Fazia parte do seu trabalho.

Do lado do rei ficava seu parceiro em maldades sujas, uma criatura sombria e imoral conhecida apenas como Bruxo Wãobúrguer III. Usava uma túnica feita de um saco velho onde se lia **COSTELETAS DE PORCO DE MÁ QUALIDADE** e estava fumando um cachimbo cheio de lama.

— Gostaria de uma baforadinha na cara, ó meu adorado rei? — disse, tossindo, o Bruxo

Wãobúrguer, e brandiu o cachimbo. — É bom de verdade — ele mentiu, tossindo novamente.

— Vá se danar, catarro — replicou o rei Goblin. — Onde está meu jantar? Estou a ponto de desmaiar de fome!

— É pra já — disse Bruxo Wãobúrguer, ou B.W., para abreviar. Ele enfiou a mão em sua túnica imunda e dela tirou um punhado de vísceras de frango cozidas.

— Delicioso — resmungou o rei Goblin, engolindo tudo. — Muito bem. Agora, tenho assuntos reais para resolver.

— Poderoso Exército Goblin! — comandou. — Contem-me as notícias ou eu torço os lindos pescocinhos de todos vocês!

Então, o capitão do Exército Goblin correu à frente com seu tenente do lado.

— Notícias boas — relatou o Capitão Goró. — Atacamos uma mulher velha e a roubamos!

— Quem se importa com uma velha estúpida? — rugiu o rei Goblin. — O que eu quero saber é como está indo o meu plano diabólico! Você já terminou de construir o túnel?

— Estou quase terminando! — guinchou o tenente, cujo nome era Gastão. — Mais um dia cavando e chegaremos lá!

— Acho bom — resmungou o rei Goblin. — Agora é hora de um bom e demorado cochilo. — Ele fechou os olhos, colocou os pés para cima e...

— COUSA BRILHANTE! COUSA BRILHAAANTE! — gritaram os goblins, apontando para a esmeralda em sua barba e pulando para cima e para baixo como coelhos.

— Ai, meus bigodes. — O rei franziu as sobrancelhas. — Essas criaturas são barulhentas demais. Quem ia adivinhar que chefiar um exército de goblins seria uma amolação dessas?

Capítulo 4

Você é um homem mau, Sr. Lavanderia!

O dia seguinte amanheceu frio e sem nuvens em Lamonic Bibber. Martin Lavanderia estava de pé cedo para trabalhar em sua **INVENÇÃO MUITO SECRETA** quando Jonathan Baleia passou por ele, comendo um sanduíche muito grande recheado com sanduíches pequenos.

Ora, Jonathan Baleia podia ser gordo — e era mesmo, gordo de verdade —, mas não era burro.

— Ei, Martin, o que é isso? — ele perguntou, apontando para o estranho aparelho. Havia tubos e canos saindo da máquina, além de um grande motor ligado atrás e um grande buraco na frente.

— É só uma máquina de lavar — disse Martin Lavanderia, disfarçando. — Eu tenho uma lavanderia, sabia?

— Mas por que é tão grande? — perguntou Jonathan Baleia, enfiando a cabeça pela porta.

Ah, como Martin Lavanderia riu por dentro quando ouviu isso. Porque a verdade era que ele não estava construindo uma máquina de lavar qualquer. Ele estava construindo a *Baleiazipificador 2000* e, quando ela ficasse pronta, ele iria enfiar Jonathan Baleia lá dentro e ligar a máquina.

*"Ele nunca perde essa pose de grande homem, todo-poderoso!", pensou Martin. "Ah, mas o **Baleiazipificador 2000** vai enxaguar o riso dessa cara gorda dele para sempre! Só não vai matá-lo porque este é um livro para crianças. Mas vai ensinar àquela coisa enorme uma lição, ah, se vai!"*

— Você não vai aprontar nada, vai? — perguntou Jonathan Baleia, que conhecia muito bem o dono da lavanderia.

— Quem, eu? — protestou Martin Lavanderia. — Meu Deus, não. Só estou mesmo montando uma grande máquina de lavar, mais nada. Uma máquina em que vai caber até você... Mas isso é somente uma grande coincidência.

— Humm — murmurou Jonathan Baleia, desconfiado, e saiu gingando com todo o seu glorioso volume.

Capítulo 5

A reunião na Mesa de Pedra

Enquanto isso, na Mesa de Pedra do outro lado da cidade, havia um negócio sério acontecendo. Ora, a Mesa de Pedra era um objeto misterioso e poderoso dos Tempos Antigos e ficava numa área de gramado alto, cercada por perguntas e um gramado alto.

Há quanto tempo existia?

Quem a tinha construído?

Para que era usada na época?

Ninguém sabia as respostas, mas o melhor palpite veio de um famoso cientista chamado Crunchy.

— Fiz experimentos científicos cuidadosos com uma régua — declarou Crunchy —, e estimo que esta Mesa de Pedra é de VINTE ANOS ATRÁS. Ou que foi construída por PESSOAS. E eu estimo que, originalmente, foi usada COMO UMA MESA. Agora eu estou indo pesquisar sobre as pirâmides e desenterrar uma múmia porque é isso o que os cientistas fazem.

▯ ▯ ▯

E agora, sentados ao redor da Mesa de Pedra, sob o sol fraco de dezembro, estavam Sexta-Feira, Alan Taylor e Polly, todos na verdade parecendo muito solenes.

— Bons amigos — começou Sexta-Feira. — Reuni vocês aqui nesta manhã de inverno porque Papai Noel foi sequestrado por um diabólico pardal que quer ficar com todos os presentes! Papai Noel precisa de nós para irmos salvá-lo e...

— Sexta-Feira — suspirou Polly —, isso aí é o filme que nós vimos na semana passada, *O Pardal Noel*, lembra?

— Não lembro, não — disse Sexta-Feira, com sinceridade. — Então, *por que* reuni vocês nesta manhã de inverno?

— Porque a sra. Gracinha foi atacada na Montanha dos Goblins — respondeu Alan Taylor. — Lembra?

— Não lembro, não — disse Sexta-Feira, com sinceridade. — Agora ouçam, amigos. Na noite passada, eu tive um sonho revelador e uma estranha voz me disse:

"Olá, Sexta-Feira. Como vai você? Gostei do seu chapéu. Ah, a propósito, você deve sair para uma aventura difícil e acabar com estes goblins antes que as coisas piorem."

— A voz disse que eu devo ir para a Montanha dos Goblins — continuou Sexta-Feira. — E eu devo ir armado somente com pensamentos puros, uma língua sincera e um coração cheio de coragem. Além de uma espada, no caso de todas estas coisas não funcionarem. Então, amigos, partirei ao meio-dia. Mas vou precisar de outro corajoso viajante para me acompanhar nesta minha aventura.

— Ah, me escolhe, me escolhe, por favor!! — gritou Polly.

— Lamento — disse Sexta-Feira, balançando a cabeça num breve gesto que ele inventara quando queria dizer *não*.

(Todos em Lamonic Bibber usavam este engenhoso sistema — que tal experimentar você também?)

— Decidi levar o Barba Amarela — disse Sexta-Feira. E apontou para um anão rechonchudo, que usava uma espessa barba preta e estava sentado ao seu lado, vestido com uma cota de malha e carregando um machado de guerra. Até aquele momento, Polly não tinha notado que ele estava ali.

— O Barba Amarela? — protestou Polly. — Mas Sexta-Feira, nós somos uma equipe, você e eu! Juntos, somos os melhores em aventuras e coisas do tipo!

— Lamento — disse Sexta-Feira. — Mas o anão Barba Amarela é o eleito. E, a propósito, ele é o meu novo melhor amigo.

Bem, foi então que Alan Taylor deu uma risadinha e, de repente, Polly percebeu o que estava acontecendo.

"Peraí!", ela pensou. "Isso está parecendo uma daquelas piadas estranhas do Sexta-Feira!"

Ela olhou mais de perto e viu que o Barba Amarela era feito de cartolina. Sexta-Feira tinha passado a maior parte da noite cortando-o e colorindo-o com retalhos de feltro.

— Ah, Sexta! — disse Polly, rindo e derrubando Barba Amarela na neve. — Você e suas piadas estranhas!

— A VERDADE É UM MERENGUE DE LIMÃO! — disse Sexta-Feira, rindo cheio de afeto. — É claro que você vai comigo, Polly!

— E eu fico aqui e tomo conta da sra. Gracinha — proclamou Alan Taylor. — Vou dar umas aulas para ela sobre o mundo natural com minha coleção de documentários da vida selvagem. Tenho um ótimo sobre leopardos. Eles são criaturas fascinantes e as manchas de seus pelos são conhecidas como *manchas*.

— Muito bem, senhor — observou Sexta-Feira, pegando sua tuba. — Agora, vamos cantar uma canção para dar a esta grande reunião da Mesa de Pedra um final. Eu adoro música.

— Lamento — disse Alan Taylor, olhando para o seu minúsculo relógio de pulso de

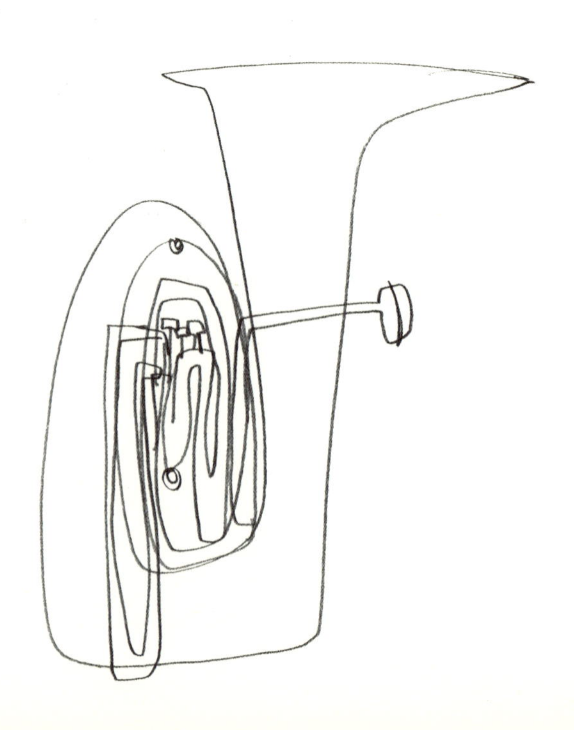

chocolate. — Não há tempo para cantar... vocês dois vão ter de se aprontar agora.

E a reunião estava terminada.

O resto da manhã foi gasto com preparativos para a aventura. Alan Taylor escapuliu, de repente, para comprar tortas, já que sabia tudo sobre coisas assadas, sendo ele próprio uma coisa assada. Polly correu para comprar capas grossas, porque estaria frio à beça na Montanha dos Goblins. E Sexta-Feira ficou jogando um joguinho de computador no shopping, e fez muitos pontos.

Finalmente, deu meio-dia, do mesmo modo que sempre dá. Ah, o bom e velho meio-dia nunca falha. E era hora de começar a aventura.

— Até breve, valentes viajantes — disse Alan Taylor, no que Polly abraçou-o ao se despedir.

— Adeus, meu amigo esfarelento — disse Sexta-Feira, abaixando-se para fazer cócegas no queixo do pequeno companheiro. E, tendo se despedido, a corajosa dupla deu meia-volta e iniciou o caminho na longa e tortuosa estrada que os levaria à Montanha dos Goblins.

Tinha começado a nevar mais uma vez, flocos macios e brancos caíam do céu como lágrimas de anjos. Logo os viajantes eram apenas pontos a distância e, assim, Alan Taylor já não podia enxergá-los.

"Vai ser um longo e corajoso dia", ele pensou enquanto estava lá, estremecendo no vento gelado. "Será que vou ver esses dois de novo?"

Então ele comeu seu relógio de chocolate. Isso meio que quebrou o clima do momento, mas ele não tinha tomado café da manhã.

Capítulo 6

Os Grandes Presentes

Estava ficando escuro quando Polly e Sexta-Feira alcançaram o sopé da Montanha dos Goblins. A encosta de pedra íngreme surgiu sobre eles ameaçadoramente, naquele lugar lúgubre, todo torcido — ~~como um daqueles canudinhos muito loucos, bem torcidos, que a gente às vezes recebe quando está bebendo alguma coisa num copo. São engraçados demais!~~ — como o dedo de uma bruxa velha.

— Polly — disse Sexta-Feira, enroscando o cabelo de Polly carinhosamente com uma máquina de enrolar cabelos, que ele trazia no "estojo do carinho". — Você está absolutamente quatrocentos por cento certa de que quer ir em frente?

Mas antes que Polly pudesse responder, o vento uivou mais alto do que nunca e soprou uma grande manta de neve, transformando o mundo em um todo branco, de modo que ela já não podia ver mais nada.

— Sexta-Feira! — gritou Polly no vazio repentino. — O que está acontecendo?

— Eu não seeeeeeeeei! — foi a resposta de Sexta-Feira, mas parecia vir de muito, muito longe, e, no meio de todo aquele vento e neve, Polly não soube identificar de que direção vinha. E agora achava que estava escutando uns ruídos estranhos — lobos uivando, vozes assombradas do passado, sinos cantando no espaço cósmico, o som de uma ordenhadeira sentada numa melancia...

— Nhiiii — lamuriou-se Polly numa voz bem baixinha. — Está tudo doido e assustador, como naqueles filmes que passam de madrugada na TV e que não são para crianças!

Mas então os ruídos perturbadores foram substituídos por outro som, fraco de início, depois crescendo mais e mais. Era um alegre tinido de uma caixinha de música, e, à medida que o som crescia em intensidade, a manta de neve clareava e o ar ficava limpo outra vez. Com uma certa surpresa, Polly viu que ainda permanecia no sopé da montanha, embora, por alguma razão, Sexta-Feira estivesse quase no topo de um pinheiro.

E agora o som da caixa de música parecia estar em todos os lugares, e uma criança pequena vinha andando na direção deles pela neve. E foi só ver aquele garoto que os viajantes sentiram uma intensa alegria, já que não era ninguém menos que o Espírito do Arco-Íris.

— Minha criança — disse ele, cumprimentando Polly, embora não fosse mais velho do que ela. — Há semanas tenho estado alerta pensando na sua brava jornada.

— Mas a gente só teve a ideia de entrar nesta hoje de manhã... — interrompeu Polly, surpresa.

— Eu vejo muitas coisas — foi a resposta surpreendente do garoto. — Passado e futuro, não importa o que seja, pois vejo tudo.

— Espírito do Arco-Íris — disse Sexta-Feira, descendo do pinheiro. — VOCÊ era a voz no meu sonho, me dizendo para partir nesta aventura! Era você, não era, seu pilantrinha?

— Meu bom velho, não tenho ideia do que você está falando — respondeu o menino. — Mas você logo enfrentará grandes problemas. Então, vim ajudá-lo em sua jornada.

Dizendo isso, o Espírito do Arco-Íris virou seu rosto para o céu e pronunciou algumas palavrinhas estranhas, palavras de muito tempo atrás, de antes de o Mundo começar. E quando ele se virou, um momento mais tarde, estava trazendo Grandes Presentes em suas honradas mãos.

— Atenção agora! — ele disse. E, muito solenemente, presenteou Sexta-Feira com uma corneta fabulosa. A corneta cintilava com todas as cores do Universo, e num dos lados tinha um desenho legal de um macaco usando óculos de sol.

— Contemplem isto! É a lendária Corneta de Q'zaal Q'zaal, forjada há centenas de anos pelos Sumos Sacerdotes de Lontra-Bastos — disse o garoto. — Quando você a soprar, virei em sua ajuda. Mas tenha cuidado... deve usá-la somente uma vez. Depois disso, ela perderá seu poder para sempre.

Então o garoto virou-se para Polly e entregou o segundo presente. Era um chiclete de fruta.

— Contemplem isto! — disse o garoto. — É o Chiclete de Fruta da Babilônia. Não parece tão bom quanto a Corneta de Q'zaal Q'zaal — ele admitiu —, mas chegará o momento em que você aprenderá a sua verdadeira grandeza.

— Obrigada — disse Polly. — Mas, por favor, você não quer vir conosco para nos ajudar?

— Bem que eu queria... se pudesse! — suspirou o Espírito do Arco-Íris. — Mas há muito tempo, antes de o Mundo começar, fiz um trato com Roberto, o Criador de Todas as Coisas. E o trato é que eu posso ajudar somente de vez em quando. Além disso, tenho de rever a matéria para a minha prova de matemática ou minha mãe vai me matar.

— Espírito! — uma voz chamou lá de baixo. — Já para casa! Você tem que aprender a fazer contas com frações!

— Está vendo? — disse o Espírito do Arco-Íris. E saiu correndo.

— Aposto que era ele no meu sonho, sim — disse Sexta-Feira, olhando o Espírito se afastar. — Tenho certeza de que é bem o tipo de coisa que ele faz.

Então, armados com seus Grandes Presentes, os viajantes continuaram em seu caminho sentindo-se ainda mais corajosos do que antes. Mas a coragem deles viraria mingau e seria devorada pelos Ursos da Dúvida, se soubessem quem os estava observando. Pois, do alto de sua caverna, o rei Goblin acompanhava cada movimento dos viajantes.

Capítulo 7

Os Três Desafios Impossíveis

BLEM! — gritou o rei Goblin, furioso, olhando pelo telescópio dourado que tinha "pegado emprestado" em uma loja de departamentos. — São aqueles intrometidos! Estão subindo a montanha para se intrometer nos meus planos de escavação do túnel, só pode ser!

— Não se aborreça, meu velho cadarço — disse, tossindo, o Bruxo Wãobúrguer, sufocando-se com um cachimbo cheio de gordura de cavalo. — Eles nunca conseguirão passar pelos Três Desafios Impossíveis.

— Ahhh! — exclamou o rei Goblin. — Eu tinha esquecido esses desafios terríveis, que todos os viajantes que sobem a Montanha dos Goblins têm de enfrentar. Arrá! — ele gritou, tornando a virar-se para o telescópio. — E agora, aqui vai o primeiro deles!

— Será realmente *engraxado*! — disse B.W. rindo. (Veja bem, foi assim que o Bruxo Wãobúrguer pronunciou a palavra *engraçado*.)

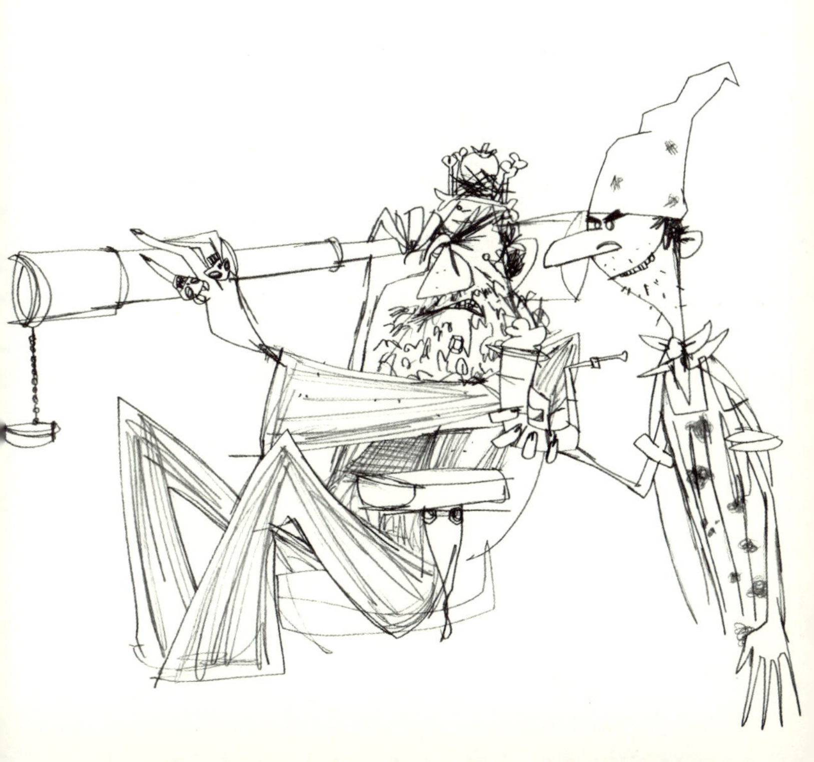

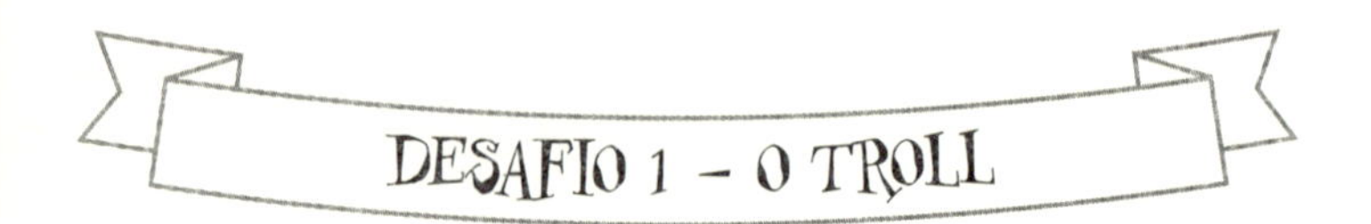

Neste mesmo momento, lá embaixo, no pé da montanha, a terra balançou e tremeu, e um troll grande e sujo saiu de trás de uma grande pedra. Ele tinha um cabelo seboso porque só comprava xampu barato, e, como todos os trolls que se prezem, carregava um bastão de madeira bem nodosa, com uma garra na ponta. Ah, que coisa horrorosa que ele era. Da altura de três homens, ia à academia toda semana para manter seus músculos fortes e poder esmagar viajantes, e também para impressionar as garotas trolls. Polly se escondeu atrás de Sexta-Feira e Sexta-Feira se escondeu atrás de um átomo, mas não adiantou nada — o troll localizou-os sem dificuldade.

— OK! — ele gritou numa voz estrondosa. — CALEM-SE E NÃO SE MOVAM! — Então ele, tirou um rolo de pergaminho de sua narina e começou a ler:

ATLETA

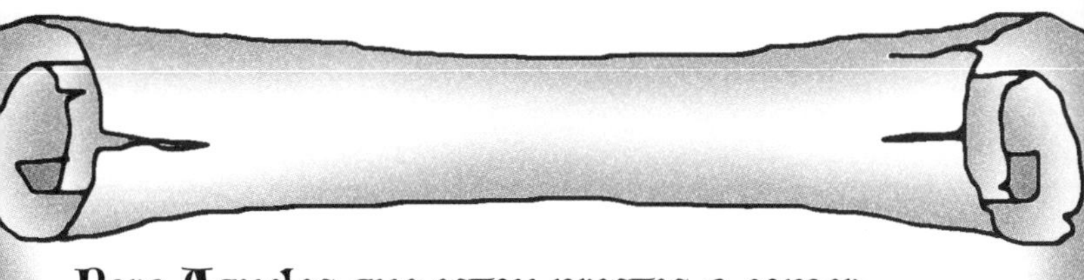

Para Aqueles que estou prestes a comer:

Vocês se meteram nesta minha trilha, aqui na Montanha dos Goblins, porque não passam de idiotas. E agora, vão ter de enfrentar meu desafio, seus imbecis. É um desafio poderoso de verdade! Ninguém jamais conseguiu me vencer nessa parada, pelo menos nos últimos séculos. E o desafio é: vocês não podem passar por mim a não ser que adivinhem o meu nome. E vocês NUNCA vão adivinhar o meu nome. E quando vocês FRACASSAREM, eu ESMAGAREI OS SEUS OSSOS e os COMEREI. ESTE é o meu desafio.

Atenciosamente,

Arthur, o Troll

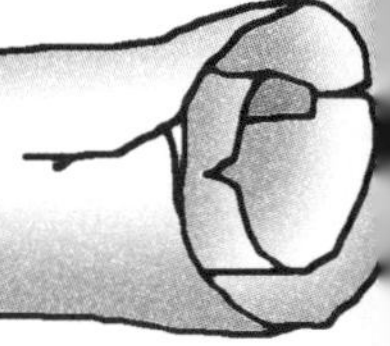

— Acho que estamos em apuros — disse Sexta-Feira, engolindo em seco. — Será que devemos assoprar a Corneta de Q'zaal Q'zaal?

— Que nada! A gente só pode usar o chifre uma vez — disse Polly. — Acho que dessa vez a gente consegue se virar sozinhos.

Corajosamente, ela avançou até diante do Troll e disse:

— Seu nome é Arthur, o Troll! E não adianta mentir porque eu sei que é esse mesmo! Agora, sai da frente, peludão!

— Bom chute — resmungou Arthur, o Troll, enquanto ia embora. — Eu vou fazer minha ginástica.

— NÃO É POSSÍVEL! — gritou o rei Goblin, incrédulo. — Não sei como, mas aqueles intrometidos conseguiram passar pelo troll!

— Não se preocupe — disse B.W., rindo. — A bruxa é a próxima! Ela vai transformá-los em lama!

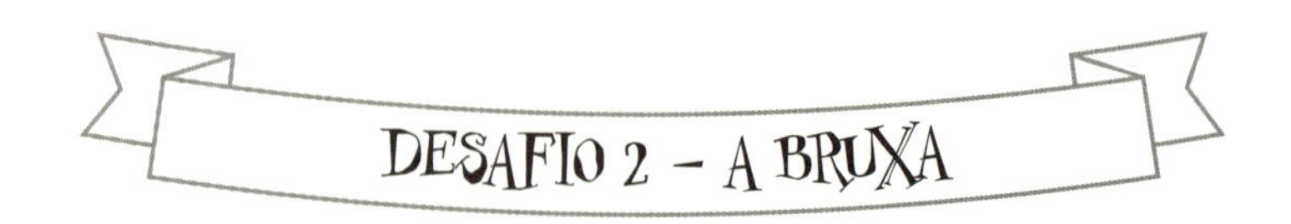

Lá embaixo, no sopé da montanha, uma porta secreta se abriu numa rocha com um rangido assustador, e uma bruxa saiu de lá, mancando, bastante encurvada e apoiando-se numa bengala.

— Eu vou lançar feitiços em vocês! — ela gritou, estridente. — É isso mesmo... feitiços! Eu vou transformar vocês em lama!

— Você ouviu isso? — disse Sexta-Feira com medo. — Feitiços!

— Rápido! — disse Polly. — Assopre a Corneta de Q'zaal... Não, espere um momento! Ela não está se aproximando nem um pouco de nós!

Era verdade. A bruxa estava se movendo a uma velocidade de cerca de 1 centímetro por minuto. Enquanto os viajantes observavam, ela foi ultrapassada por um caracol morto.

— Quando eu chegar perto de vocês, vou jogar meus feitiços! — ameaçou de novo a bruxa, brandindo sua bengala.

— Então vocês vão se lamentar! Feitiços!

Sexta-Feira e Polly olharam um para o outro.

— Fugimos agora ou mais tarde? — perguntou Sexta-Feira.

— Mais tarde — respondeu Polly. — Depois do jantar.

Então, Sexta-Feira juntou alguns gravetos para fazer uma fogueira e Polly tirou as tortas e algumas maçãs, e os dois fizeram uma bela refeição. Enquanto isso, a bruxa continuava avançando, pouco a pouco, ocasionalmente fazendo suas ameaças.

Já depois de comerem, os viajantes sentaram-se e conversaram por algum tempo.

Então, jogaram algumas partidas de gamão e depois montaram um quebra-cabeça de 10 mil peças. No fim das contas, foi um intervalo cheio de diversão, mas então Sexta-Feira levantou-se.

— Bem, é melhor a gente se apressar, senão a bruxa nos alcançará em algumas horas — ele disse. Então Polly se pôs de pé e juntos eles retomaram o caminho.

— Esperem só até eu chegar perto e lançar meus feitiços! — a bruxa falou, às costas deles, brandindo o punho fechado. O musgo crescia em seus sapatos. — Aí vocês vão se lamentar muito!

— INACREDITÁVEL! — gritou o rei Goblin, olhando no telescópio. — Não sei como, mas aqueles intrometidos venceram a bruxa também!

— Verdade — admitiu B.W. — Mas eles não vão sobreviver ao desafio final.

— O quê, aquela coisa que parece um picles? — zombou o rei Goblin. — Olha lá, hein? É o mais fácil de todos.

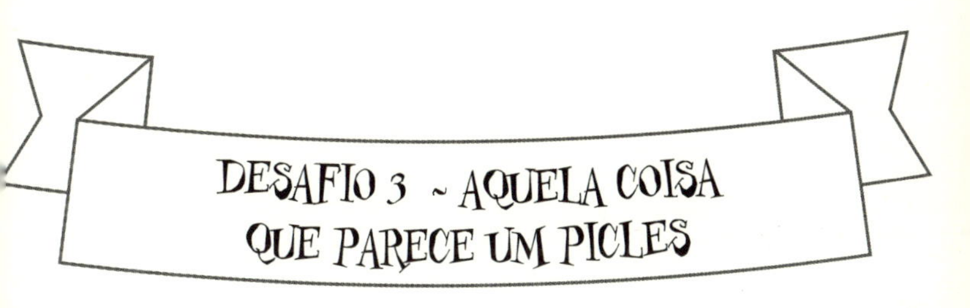

DESAFIO 3 – AQUELA COISA QUE PARECE UM PICLES

Lá no sopé da montanha, aquela coisa que parecia um picles rolou ameaçadoramente em direção aos viajantes. Sexta-Feira pisou nele com sua bota e os dois continuaram o caminho.

— PORQUEIRA! — gritou o rei Goblin. — Se você quer saber, esses tais Desafios Impossíveis, todos eles juntos são uma maçaroca numa privada entupida. Ei, lá! Capitão Goró! — chamou ele. E imediatamente o capitão dos goblins apareceu, acompanhado por seu fiel tenente Gastão.

— Escute bem, Goró — disse o rei Goblin. — Quero que você vá capturar alguns intrusos para mim. É um trabalho muito importante, então leve seus melhores soldados com você. Leve o Gosmento, o Grogue, o Gordão, o Gabiru, o Grifo, o Gargarejo e o Gravatinha. E não me decepcione, Goró, ou vai conhecer a força do meu punho esmagador!

Tendo então cuidado disso, o rei Goblin dedicou-se a assuntos mais importantes.

— Ei, você, Bruxo Wãobúrguer, onde está meu jantar? — perguntou.

— Aqui, minha balaclava mofada — disse B.W., rindo e segurando um prato de carne esverdeada com folhas esquisitas.

Assim, no interior da caverna, os dois facínoras se empanturraram daquela lavagem imunda, como se não passassem de leitões, enquanto ao redor os goblins gritavam, vaiavam e rugiam.

— Ha ha ha! — riu o rei Goblin, com a boca cheia de bexiga de porco. — Isso é que é vida!

Capítulo 8

Uma noite na Montanha dos Goblins

Quando a noite caiu, os viajantes montaram a barraca. Polly acendeu o fogo e Sexta-Feira encontrou um coelho selvagem que cozinhava, o que foi muita sorte porque ele estava cansado demais para cozinhar. O coelho preparou rapidamente algumas omeletes enquanto os viajantes admiravam a montanha na noite vasta e estrelada.

Lá embaixo, bem distante, as luzes de Lamonic Bibber piscavam amistosamente. As casas pareciam quentes e convidativas, e Polly imaginou que estava escutando as risadas felizes de crianças vindo de dentro delas. No meio da cidade, avistava-se uma pluma de fumaça azul. Vinha da **INVENÇÃO MUITO SECRETA** de Martin Lavanderia, o *Baleiazipificador 2000*.

Diante daquela cena, Polly sentiu lágrimas surgirem em seus olhos, não apenas porque o coelho estava descascando uma cebola, mas porque ela percebeu o quanto gostava de Lamonic Bibber, até nas mínimas coisas.

— Eu adoro essa cidade — disse a garota, arrebatada, e seu coração se encheu de orgulho enquanto falava. — É o melhor lugar do mundo e eu nunca vou querer viver em outro lugar. É tudo o que tenho para dizer sobre isso, e ponto final.

— É isso aí, Polly — aprovou Sexta-Feira. Ele sentiu um pouco de saudade de seu chalé na floresta e de um bom assado de domingo e de se sentar no colo da sra. Gracinha, tomando iogurtes. — Vou lhe dizer... — disse ele, pegando seu piano de cauda. — Este é o momento perfeito para uma canção. Estou compondo uma nova. Chama-se “Eu e o Tio Rabanete”.

— Psiu — sussurrou Polly de repente, apagando o fogo com uma caneca de água. — Acho que escutei alguma coisa se movendo nos arbustos.

Polly e Sexta-Feira se espremeram um contra o outro, tremendo, na escuridão. Depois de um minuto, o coelho se juntou a eles, torcendo os bigodes como um maluco. E agora todos eles escutavam aqueles barulhos — estranhas sibilações, estalos e grunhidos. Então ouviram um galho se quebrando. Depois outro, também se quebrando — e depois outro.

E então a lua surgiu de trás de uma nuvem e, sob a sua luz prateada, os aventureiros viram que o jogo tinha terminado. Isso porque estavam completamente cercados pelos goblins, que estavam ali parados, estalando galhos com suas mãos velhas e perebentas.

— PEGUEM ELES! — comandou o Capitão Goró, e com isso os goblins avançaram, seus olhos grandes e as garras cintilando cruelmente.

— Coitado do coelho! — gritou Polly. — Isto aqui não é lugar para você, meu pequenino — disse ela, escondendo-o em suas mãos e levando-o para um lugar seguro, embaixo de um arbusto. Está vendo que tipo de garota Polly era? Ela sempre protegia as pessoas pequenas mais do que a ela própria, especialmente se eram coelhos.

— Certo — disse Sexta-Feira. — Agora deixe o resto comigo! — E esticou o braço para pegar sua espada mágica, a lendária CAMPEÃ DE SANGUE AZUL. Era feita de um aço forte, muito conhecida por todos os homens, e brilhava como uma Estrela Flamejante da Justiça, e ninguém podia derrotá-la em batalha, e estava no sofá de Sexta-Feira em sua cabana secreta, próxima de um pote de iogurte vazio.

— Droga! — amaldiçoou Sexta-Feira. — Esqueci a espada. — Mas então ele teve uma ideia. — Para trás, seus monstros! — ele avisou, fazendo mímica como se, apesar de todos os pesares, estivesse mesmo segurando uma espada poderosa. — Ou experimentem a lâmina de minha lendária espada invisível, a TRANSPARENTE-O, que já matou muitos goblins e trolls. E um alce.

Os goblins sibilaram e começaram a recuar. Mas não o Capitão Goró. Ele não se deixou enganar nem por um segundo.

— A espada invisível não existe! — disse ele. — Este velhote só está fingindo! Olhe, está apenas fazendo mímica!

E então os viajantes estavam mesmo perdidos. Os goblins avançaram novamente e dessa vez nada os impediu.

Eles enfiaram Polly e Sexta-Feira num grande saco, que amarraram com uma corda mágica suja, e desse saco ninguém conseguiria escapar, a menos que fosse o Harry Potter. Então, ergueram o saco acima de suas cabeças horripilantes e voltaram para o alto da montanha, onde começaram a piar e a gritar para acordar os mortos.

De trás do arbusto, o pequenino coelho assistiu a toda a horrível cena. *Nunca esquecerei aquela garota corajosa que me pôs num lugar seguro*, era o que seus olhos verdes brilhantes pareciam dizer. *Bem, talvez eu esqueça. Mas vou tentar de verdade não esquecer.*

◎ ◎ ◎

— Polly! — sussurrou Sexta-Feira, esperançoso, enquanto eles se esbarravam e balançavam empacotados no saco. — Você é o Harry Potter?

— Não — disse Polly. — Eu sou Polly.

— Foi o que eu pensei — disse Sexta-Feira, desanimado.

— Você consegue alcançar a Corneta? — perguntou Polly. — Acho que pode ser uma boa hora para convocar o Espírito do Arco-Íris.

Sexta-Feira tentou o quanto pôde, mas não conseguiu alcançá-la e, com as suas últimas esperanças se esvaindo, os prisioneiros ficaram em silêncio, ambos temendo o pior. E os goblins prosseguiram a marcha. E prosseguiram e prosseguiram, a noite toda eles continuaram subindo a montanha. Até que, quando finalmente alcançaram a Caverna dos Goblins, um amanhecer cinzento já irrompia na montanha e os corvos grasnavam, lamentando-se, nas árvores nuas.

— Olá! Rei Goblin! Pegamos os intrometidos! — Capitão Goró gritou.

— Cale a boca! — Veio lá de dentro uma voz familiar. — Eu estou tentando assistir ao *Saco de Varetas*!

"Tem alguma coisa de familiar nesta voz familiar", pensou Polly, mas, no meio daquela agitação toda, com ela e Sexta-Feira sendo transportados para a caverna, ela não conseguiu saber o que era.

— Agora! — ela ouviu o Capitão Goró dizer. Então, ele e Gastão abriram o saco com suas garras e os viajantes se viram cara a cara com o rei Goblin em pessoa.

— Vocês, seus intrometidos insolentes — disse o rei Goblin, chegando tão próximo que Polly sentiu o cheiro de seu bafo de carne podre. — Vocês não sabem que eu sou o melhor, porque sou muito poderoso e bonito? — E, de repente, Polly percebeu a terrível verdade.

“Me fritem em óleo vegetal e me chamem de saco gigante de sucrilhos!”, ela pensou. “O rei Goblin é o sr. Gum! Minha nossa, e lá está o Billy William. Ele provavelmente se autodenomina Bruxo Wãobúrguer ou qualquer coisa assim, desconfio.”

Capítulo 9

Polly e Sexta-Feira na caverna

— Ora, ora, ora! — exclamou o sr. Gum. A esmeralda em sua barba cintilava e brilhava como se de algum modo caçoasse deles, e os goblins cantarolavam COUSA BRILHANTE! COUSA BRILHANTE! COUSA BRILHANTE!, até Polly se sentir como se estivesse num pesadelo — mas

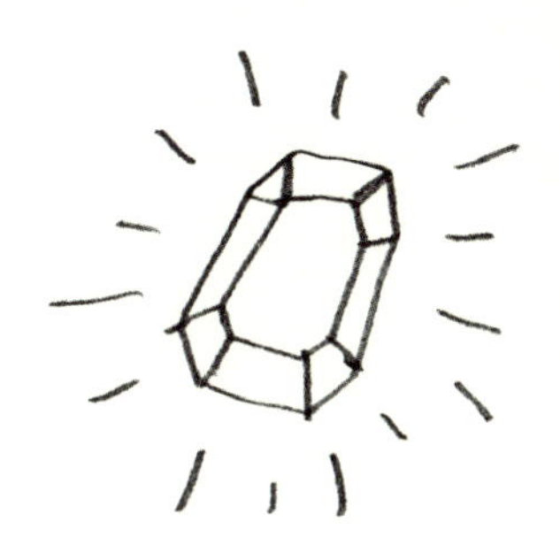

ela sabia que pesadelos não cheiravam tão mal, então aquilo só podia mesmo ser real.

— Aqui estou eu — cuspiu o sr. Gum —, cuidando da minha vidinha e sendo somente um belo rei Goblin e cumprindo meu destino. Mas aí, vocês dois têm de vir atrapalhar o meu bom trabalho!

— Você chama espancar a sra. Gracinha de "bom trabalho"? — replicou Polly. — Sr. Gum, você me dá nojo como um gambá. Ei, Sexta-Feira! — ela gritou. — Sopre aquela corneta e manda ver!

Sexta-Feira pegou a Corneta de Q'zaal Q'zaal e levou-a aos lábios.

— Ó Espírito do Arco-Íris, venha a nós — ele suplicou.

E na corneta ele soprou.

AAM!

Uma nota longa soando como "pamparam" encheu a caverna. Foi quicando nas paredes, acertou o Capitão Goró na barriga e saiu montanha afora. Lá embaixo, em Lamonic Bibber, o povo da cidade acordou e seus corações se encheram de alegria ao escutar aquele som maravilhoso. Os pássaros cantaram, o sol brilhou e uma flor morta no peitoril da janela da Vovó Velha voltou a viver e começou a dar peras douradas.

— Certo — disse Sexta-Feira quando os últimos esforços do glorioso som enfraqueceram. — Num segundo, vocês serão totalmente arco-irisados como nunca foram antes.

Todos esperaram.

Sexta-Feira verificou seu relógio.

O sr. Gum meteu o dedo no nariz.

Alguém espirrou.

— Ééé... — exclamou Sexta-Feira, um pouco menos confiante desta vez. — Ele vai aparecer a qualquer.... segundo.... agora. Ei! — gritou ele esperançoso para o Espírito do Arco-Íris, para o caso de ter feito alguma coisa errada. — Nós estamos aqui! Numa caverna!

— Ok — disse o sr. Gum, depois de um tempo. — É óbvio que ele não vai aparecer. Acho que ele ficou com medo porque sabe que sou simplesmente muito poderoso. Sou excelente nos meus socos. Então, vamos continuar, Poderoso Exército Goblin! — ele gritou.

— Com licença — disse Sexta-feira. — Você vai contar aos goblins o seu plano?

— Vou — disse o sr. Gum. — E daí?

— Bem, você se importaria de fazer isto cantando? — perguntou Sexta-Feira. – Eu adoro canções.

— Seu maluco! — exclamou o sr. Gum, balançando a cabeça, com aversão. — Seu cérebro é pequeno demais para sua cabeça, este é o seu problema, O'Leary! — Agora, goblins — ele continuou. — Nossa hora finalmente chegou. Hoje vamos inaugurar aquele túnel que estávamos construindo. Nunca disse a vocês por que estávamos fazendo isso, mas agora vou dizer. O túnel desce direto atravessando esta porcaria de montanha e adivinhem aonde vai dar? Em Lamonic Bibber!

Nisso, os goblins uivaram de alegria, Polly engasgou de horror e Sexta-Feira fez passinhos de assombro.

— Então, meus pequenos goblins, o plano é este — explicou o sr. Gum. — Vamos seguir pelo velho túnel, chegamos lá... e pegamos todos de surpresa! Antes que eles percebam o que está acontecendo, não vai mais existir Lamonic

Bibber. Ela vai passar a ser a Cidade dos Goblins e a gente vai poder aprontar de tudo e beber cerveja o dia inteiro!

— É isso aí! — gritaram os goblins. — Cidade dos Gooooblins! Cidade dos Gooooblins!

— Lamento, mas você não vai fazer isso, sr. Gum! — disse Polly. — Eu gosto daquela cidade e você nunca a transformará num paraíso dos goblins, cheia de lixo e sujeira de cachorro por toda parte!

— Ah, não? E o que você vai fazer, garotinha? — riu o sr. Gum. Então ele abriu os braços e cantou:

Bruxo Wãobúrguer!

Faça aquilo!

Aquela coisa com os hambúrgueres!

Bom, bom trabalho!

E, de repente, o ar estava cheio de hambúrgueres, pois Billy William começou a fazer o que ele mais gostava de fazer: atirar carne podre nas pessoas boas. Céus, suas mãos se transformaram em não mais do que um borrão quando ele rodopiava aqueles hambúrgueres que rápidos e furiosos saíam voando como se fossem horríveis bumerangues cinzentos.

— Hora do jantar! — ele berrou, jogando um pedaço de carne direto no joelho de Polly. — Bom apetite!

— Ah, sra. Gracinha — disse Sexta-Feira, enquanto ele e Polly desviavam dos projéteis nojentos. — Sei que você não pode me ouvir, mas eu te amo mais do que qualquer homem já amou uma mulher. Eu te amo como o sol ama as estrelas e como os peixes-espadas amam nadar no mar tentando apunhalar coisas com suas caras afiadas. Eu esperava que um dia você me dissesse seu sobrenome, mas, ai de mim, sra. Gracinha, isso não vai acontecer. Pois agora eu seguirei o meu destino e AAAAARRRGGGH!

De repente, ele estava caindo, caindo, caindo em meio ao piche preto... E Polly estava caindo, caindo, caindo com ele. Juntos eles caíam, caíam, caíam. Aquilo não era tão ruim — mas então eles aterrissaram, aterrissaram, aterrissaram. E aquilo machucou, machucou, machucou.

— **UI!** — disse Sexta-Feira quando atingiu o chão duro de pedra. — **UNC!** — ele exclamou quando Polly caiu em cima dele. — **CHURP!** — ele acrescentou, só porque deu vontade.

— O q-que aconteceu? — perguntou Polly, confusa, mas então os olhos injetados do sr. Gum surgiram no alto, encarando-os.

— Vocês caíram no velho poço abandonado — disse o sr. Gum, rindo malvadamente. — Eu sabia que isso ia acontecer — ele mentiu. — É tudo parte do meu plano engenhoso, claro.

— Isso mesmo — disse Billy William, surgindo ao lado dele. — E agora vamos para o nosso túnel com os goblins e logo seremos donos do pedaço!

— Isso mesmo — reforçou o sr. Gum. — Só mais uma coisa, O'Leary. Quando nós formos para o túnel, cantaremos uma canção muito animada, com LÁ LÁ LÁ e tudo mais. E você vai perder cada segundo dessa canção!

— Ah, não! — lamentou Sexta-Feira. — Como isso pode acontecer? COMO? Não é justo!

— É isso aí — disse o sr. Gum, chutando com carinho Billy William, tão forte quanto pôde, nas canelas.

— Vamos indo, meu velho Bruxo Wãobúrguer. Temos muitas canções para cantar e um túnel a percorrer!

E então eles se foram, e Polly e Sexta-Feira foram deixados sozinhos no escuro.

Capítulo 10

A canção do túnel *

*Com a participação muito especial dos arrotos de Grogue, o goblin

REI GOBLIN: **Eu sou o rei Goblin**
Ouçam-me cantar
Lálálá Lálálá!

BRUXO WÃOBÚRGUER: **Eu sou o Bruxo Wãobúrguer**
Ouçam-me tocar
Lálálá o dia todo!

GOSMENTO: *Meu nome é Gosmento*
Lálá! Lálá! Lálá!

REI GOBLIN: *Cale a boca, Gosmento!*
Não é a sua vez de cantar!
Lálálálálá!

GASTÃO: *Meu nome é Gastão!*
Iogurte! Iogurte! Hei! Hei! Hei!

BRUXO WÃOBÚRGUER: *Cale a boca, Gastão!*
Também não é a sua vez, seu idiota estúpido.
Eu não acredito que vocês goblins não sabem
quando cantar e quando não cantar.
Vocês estão estragando tudo!
Lálálálálá!

CORO: *Vamos descer o túnel!*
Vamos descer o túnel!
Vamos descer o túnel!
Vamos descer o túnel!

Vamos descer o túnel!
Sim, vamos descer o túnel!
Vamos descer o túnel!
Túneis são muito legais.

REI GOBLIN: *Agora, Grogue! Solo de arrotos! Manda ver!*

GROGUE: *BURP! BURP! BURP! BURP! BURP!*
BURP! BURP! BURP! BURP! BURP!
BURP! BURP! BURP! BURP! BURP!
BURP! BURP! BURP! BURP! BURP!
BURP! BURP! BURP! BURP! BURP!
BURP! BURP! BURP! BURP! BURP!
BURP! BURP! BURP! BURP! BURP!
BURP! BUR...

Queridos leitores,

Nós aqui da Galera Record decidimos que esta música exagerou na dose. É de um tremendo mau gosto e vamos parar com isso AGORA. Nós não tínhamos ideia de que ficaria tão medonha. Pedimos desculpas a todos.

Assinado

Sr. Galera, o editor

E sua mulher, sra. Galera*

* Na verdade, é só o sr. Galera usando um vestido

E agora... de volta à história.

Capítulo 11

Heróis na neve

Polly e Sexta-Feira ficaram no fundo do poço, na escuridão mais escura que eles (não) tinham visto. Os goblins estavam fedorentamente indo para Lamonic Bibber e não havia o que eles pudessem fazer quanto a isso.

— Não acredito que eu perdi a canção — Sexta-Feira queixou-se. — Aposto que foi magnífica.

— Aposto que não foi — disse Polly. — Conhecendo o sr. Gum, provavelmente estava cheia de erros e arrotos e outras porcarias. Agora, vamos dar uma olhada por aqui e talvez a gente consiga fugir.

Juntos, eles se arrastaram na escuridão e logo suas mãos encontraram alguma coisa macia e fria. Era a parede do poço velho.

— Talvez a gente consiga empurrar estes tijolos — disse Polly, ansiosa, e eles se esforçaram ao máximo, empurrando e tentando mover a pedra. Mas foi tudo inútil... aqueles tijolos não iriam mexer nem um pouquinho. Estavam lá havia centenas de anos e se queriam continuar ali mesmo por mais centenas de anos, e era a palavra final deles sobre esse assunto. Logo Polly desabou novamente na escuridão.

— Odeio isto aqui! — disse ela, enfurecida. — O sr. Gum simplesmente nos deixou aqui para a gente apodrecer como bonecos de neve! E o que é mais...

Nisso, um dos tijolos se deslocou um pouco. Então caiu no chão.

— Tijolos mágicos! — disse Sexta-Feira, parecendo muito esperto dando tapinhas em seu nariz. — Eu sabia!

Mas, pela primeira vez em sua vida, Sexta-Feira estava errado. Um rosto pequenininho apareceu no buraco onde o tijolo estava.

— Ora! É aquele coelho! — disse Polly, surpresa.

E sim, realmente era o coelho. Porque ele não havia esquecido a bondade de Polly e, de alguma maneira, pressentiu que ela estava em apuros. Então, atravessando as montanhas, ele correu, e aqueles estúpidos tijolos não foram problema para suas poderosas patas escavadoras.

Venham! Me sigam, os olhos verdes brilhantes do coelho pareciam dizer — e os viajantes rastejaram através da toca seguindo o super-herói orelhudo. A passagem dava voltas e voltas, até que Polly perdeu toda a noção do tempo e Sexta-Feira perdeu um de seus sapatos, mas, no final, viram a luz da lua brilhando lá em cima. Ah, o doce luar! E eles irromperam na fria noite estrelada.

— Obrigada, pequenino — disse Polly, curvando-se para cumprimentar o coelho apertando a sua pata.

Meu trabalho aqui está feito, os olhos verdes brilhantes do coelho pareceram dizer. *Agora é com vocês, aventureiros. Somente vocês podem salvar o dia com bravura e coragem. Será difícil, mas eu acredito em vocês porque sou um coelho.*

— Uau! — exclamou Sexta-Feira, no que a criatura saltou para a escuridão. — Nunca encontrei um coelho com olhos tão falantes.

— Isso não importa — disse Polly. — Estamos muito longe de Lamonic Bibber e os goblins vão chegar lá antes que a gente possa avisar o povo da cidade!

Parecia que não havia nenhuma esperança, mas então...

— Ouça — disse Sexta-Feira. — Que som é esse vindo na nossa direção nesta noite maravilhosa? Ora... parece quase... sim... são latidos!

— Será? — disse Polly, mal ousando acreditar que era verdade. — Será? — ela repetiu, pulando nos ombros de Sexta-Feira para enxergar melhor. — SIM! — gritou, animada. — GOL! PRIMEIRO LUGAR NA LISTA DOS MAIS VENDIDOS! MEDALHA DE OURO! VIDA EXTRA NO VIDEOGAME! CAIXA DE LÁPIS DE COR NOVINHA EM FOLHA!

Veja você, estas eram as melhores coisas em que Polly podia pensar... Isso porque lá vinha chacoalhando pelos campos em suas patas amigavelmente imensas seu velho amigo, Jake, o cachorro! E que maravilha de cachorro ele era!

Havia sinos de trenó por todo o seu rabo e uma enorme árvore de Natal presa às suas costas, e bem lá no topo da árvore, como uma estrela, estava sentado o pequeno Alan Taylor, varrendo os campos com seus suculentos olhos de uvas passas.

— Lá estão eles! — O companheiro biscoito sorriu quando avistou os aventureiros. E no que Jake veio sacolejando na direção deles, Polly sorriu também, quando viu quem estava conduzindo o cachorro, porque era um garoto pequeno não mais velho do que ela.

— Espírito do Arco-Íris! — ela riu, em pura alegria. — É você mesmo?

— Claro que sou eu — replicou o garoto, no que Jake se esticou e começou a lamber as sobrancelhas de Polly.

— Prometi vir em socorro de vocês quando a Corneta de Q'zaal Q'zaal fosse soprada... e aqui estou eu.

— Obrigado, *sir* — disse Sexta-Feira, graciosamente. — Mas tem uma coisa que eu quero de perguntar. Você não poderia ter vindo um pouquinho mais cedo?

— Meu bom velho — explicou o garoto —, quando você assoprou aquela corneta eu estava em Newcastle, na casa do meu primo. Tive de pegar o trem, que demorou muito... E depois o táxi que peguei na estação enguiçou e tive de andar 3 quilômetros a pé. E depois eu tive... o que foi? — ele perguntou, percebendo a surpresa de Sexta-Feira. — Você não achou que eu fosse aparecer num passe de mágica quando você assoprasse a corneta, ou pensou? Rááá! — disse o garoto, rindo, enquanto os viajantes subiam às costas festivas de Jake. — Mas que ideia! Como vocês, humanos, me divertem!

E então eles ficaram rindo juntos porque a ideia de que alguém "apareceria por um passe de mágica" era simplesmente ridícula! Mas agora não havia tempo a perder.

— Mingau! — gritou o Espírito do Arco-Íris, que é uma coisa que se diz aos cachorros, ninguém sabe por quê, para eles começarem a correr bem rápido na neve. E — **UFFFF-ZIIING!** — Jake saiu feito uma bala peluda chamada Jake, e assim eles correram sob o luar de volta a Lamonic Bibber.

— Alan Taylor — chamou Sexta-Feira, enquanto eles corriam. — Como está minha querida esposa, a sra. Gracinha?

— Bem, obrigada — disse a sra. Gracinha, rindo e irrompendo de dentro da árvore de Natal onde ela tinha ficado escondida para fazer uma surpresa. — Eu estou muito melhor, tra-lá-lá-lá!

— A VERDADE É UM MERENGUE DE LIMÃO! — gritou Sexta-Feira, feliz. A sra. Gracinha pulou nos braços dele e todos fingiram não olhar enquanto eles trocavam beijinhos.

O resto da noite passou num deslumbramento louco, com Jake latindo e rosnando sem parar através da neve branca e granulada. Tudo dependia daquela grande máquina latidora e ele corria como nenhum cachorro correu nem antes nem depois! Na verdade, houve um cachorro que correu tanto quanto ele, antes. Seu nome era Mop Mop e isto aconteceu na Dinamarca, em 1974. Mop Mop estava caçando uma florista pelas ruas de Copenhague...

— Quem se importa com Mop Mop? — gritou Polly. — Vamos, Jake! CORRA!

E então, sobre os campos gelados, o grande Jake correu, quase sem escorregar nos pedaços de gelo. Atravessando a neve que caía, em flocos grandes e flocos pequenos, saltando sobre muros, ele pulava no estilo country e assim correu por muitos e muitos quilômetros, enquanto a noite virava dia, e ele continuava correndo, vencendo um caminho longo, muito longo, naquela manhã de versos desafinados, disparando pela colina abaixo sem parar para descansar.

"Mas ele está disparando pela colina abaixo rápido o suficiente? Isso é o que eu quero saber!", pensou Polly, ansiosa.

— Tenha fé, criança. — O Espírito do Arco-Íris tranquilizou-a, como se pudesse ler seus pensamentos. — E se você não consegue ter fé, tome aqui um chiclete.

— Ei, isso me lembrou... — disse Polly, pegando o Chiclete de Fruta da Babilônia do bolso de sua saia. — Eu ainda tenho o Grande Presente que você me deu.

— Tenha paciência, minha criança — disse o Espírito do Arco-Íris. — O Chiclete de Fruta da Babilônia é poderoso, mas deve ser usado somente no momento certo. Porque isso é o que está escrito nas estrelas, numa tinta espacial especial:

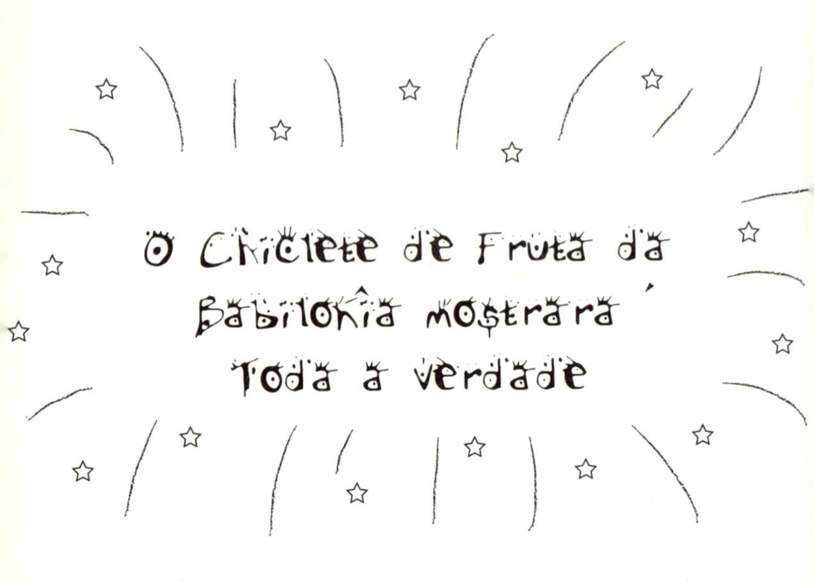

— O que isso quer dizer? — perguntou-se Polly, mas o Espírito do Arco-Íris não disse mais nada. E eles prosseguiram em silêncio, correndo desesperadamente contra o tempo.

A manhã irrompia no céu acima deles quando Jake virou a última curva e uma visão familiar surgiu aos olhos de Polly.

— É a colina Boaster! — Polly exclamou, feliz. — Estamos de volta ao nosso lugar!

Mas sua felicidade não durou muito, porque alguma coisa estranha estava acontecendo no sopé da colina. Quando os heróis olharam direito, viram uma grande carga de sujeira voando para todos os lados. E então, numa piscadela, os goblins apareceram na montanha, escarrando e esparramando lixo em tudo, cuspindo a torto e a direito e atirando cacos de tijolos de prédios vagabundos, feitos de cimento. Eles estavam em Lamonic Bibber havia só três segundos, mas aquilo lá já estava começando a parecer uma Cidade dos Goblins.

Capítulo 12

O Chiclete de Fruta da Babilônia

— Eu sou o Chefe dos Apicultores! — gritou o sr. Gum aparecendo no túnel. (Era apenas uma forma de dizer *Eu sou o melhor!*, porque o sr. Gum admirava apicultores tremendamente. E por quê? Porque apicultores são encarregados das abelhas e podem mandá-las dar ferroadas em todo mundo quando quiserem.)

— Ha, ha, ha, meu velho queijo mofado! Você sabe o que vai ser *engraxado* de verdade? — perguntou Billy William, rindo como um par de tesouras. — Quando o Exército Goblin atacar o povo da cidade, que está dormindo!

— Éééé — concordou o sr. Gum, rindo enquanto Nhaca empurrava um banco de praça para dentro do lago de patos. — Isso porque ninguém sabe que estamos aqui. Ninguém! É um tremendo ataque surpresa!

— Errado! — disse uma voz pura e clara vindo do alto, e os vilões olharam, surpresos, e deram com os heróis na montanha e o sol brilhando atrás deles para provar que eles eram definitivamente os tais.

— Isto aqui é que é um ataque surpresa! — disse o Espírito do Arco-Íris.

— INTRUSOS! — gritou o sr. Gum, furioso.

Bruxo Wãobúrguer
Faça aquilo!
Aquela coisa com os hambúrgueres!
Bom, bom t...

Mas antes que Billy pudesse sacar seu primeiro projétil, Jake já estava em cima dele, derrubando-o direto no chão gelado. Os hambúrgueres horrorizantes de Billy espalharam-se no chão, sem machucar ninguém, e o Espírito do Arco-Íris os varreu com uma vassoura feita por uma companhia chamada Mocinhos Ltda.

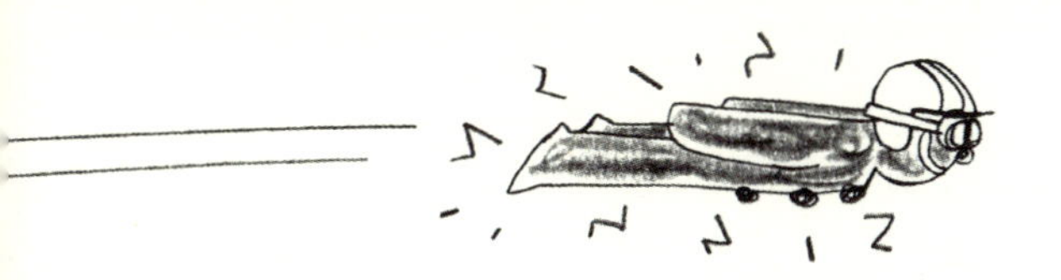

— IÁÁÁ! — gritou Polly, triunfante. — Tome isso, sua lagosta feiosa!

— O sr. Gum está fugindo! — avisou Sexta-Feira.

— Nada disso... — retrucou a sra. Gracinha, que então pegou Alan Taylor e o lançou no ar em direção ao até-então-chamado rei Goblin.

— **FORÇA MÁXIMA DO PÃO DE MEL!** — gritou o pequeno biscoito, ainda que isso não significasse coisa nenhuma. Ele aterrissou na barba desgrenhada do sr. Gum e deu um pontapé poderoso na esmeralda, que foi arremessada para longe. Devagar, bem devagar, ela voou, pairando preguiçosa na luz do início da manhã, e dúzias de olhinhos redondos de goblins observaram-na ir embora. Sem pensar, Polly estendeu a mão e a pegou. E dúzias de olhinhos redondos de goblins viraram-se na direção dela.

— Minha esmeralda! — resmungou o sr. Gum. — Minha amada esmeralda que é minha por direito, que eu não roubei de jeito nenhum de uma senhora rica em Londres no ano passado!

— COUSA BRILHANTE! — os goblins gritaram com olhos ávidos. — COUUUUSA BRILHANTE!

— Epaaa... — disse Polly.

— Corra, minha criança! — apressou-se a dizer o Espírito do Arco-Íris.

— Para onde? — guinchou Polly.

— Apenas corra — replicou o rapaz, calmamente. — E tenha fé. Quando chegar a hora, você saberá o que fazer.

Bem, o que Polly sabia era que um monte de goblins assustadores estava correndo atrás dela, gritando COUSA BRILHANTE! Então, ela se virou e saiu em disparada.

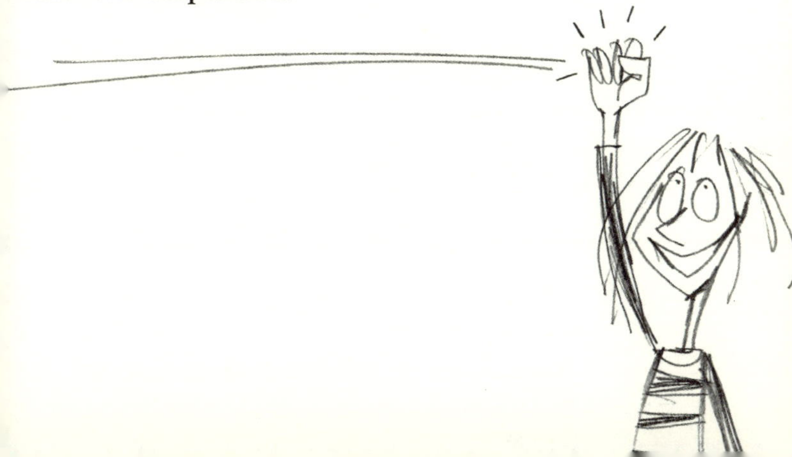

Neste exato momento, bateram à porta de Jonathan Baleia. Ele foi atender e ficou surpreso ao perceber que não havia ninguém lá.

— Que estranho — disse ele, intrigado, mas então... — Uééé! — exclamou. — O que é isto?

Ele se curvou para dar uma olhada mais de perto. Era um inocente pedaço de torta que fora deixado na soleira da sua porta. Um momento mais tarde havia desaparecido, apenas outra pobre vítima das mandíbulas insaciáveis de Jonathan Baleia. Mas, então, aquelas mandíbulas localizaram outro pedaço de torta, um pouco mais longe. De fato, havia uma trilha feita delas. E logo Jonathan Baleia estava perseguindo uma torta

arisca, seguindo as saborosas e maléficas iscas sem pensar aonde o pudessem estar levando.

— É igual àquele sonho que eu tive, uma vez, quando era garoto — ele exclamou, feliz, enquanto mastigava. — Aquele com as tortas.

Por trás do *Baleiazipificador 2000*, Martin Lavanderia observava o desenrolar do seu plano.

— Venha, venha — ele murmurava animado. Havia dormido muito pouco nos últimos dias, seu cabelo estava todo sujo e ele estava coberto de óleo de máquina e de um pó de limpeza não biodegradável.

— Vou mostrar a este gordinho-come-tudo quem manda aqui, de uma vez por todas! — ele cacarejava, insano. — VENHA!

Agora Jonathan Baleia estava a três tortas de distância.

Agora a duas.

E agora ele olhava a última torta. Era a maior de todas e estava empoleirada bem na porta da máquina de lavar.

Como se em transe, Jonathan Baleia caminhou em sua direção...

Ele queria a torta...

E Martin Lavanderia aproximou-se por trás dele, pronto para Baleiazipificá-lo ....

Mas então Polly virou correndo a esquina, o Exército Goblin em seus calcanhares.

— Eu... não... aguento... mais... — dizia ela, arquejante. Foi então que ela viu a máquina de lavar e, por alguma razão, se lembrou das palavras que estavam escritas nas estrelas:

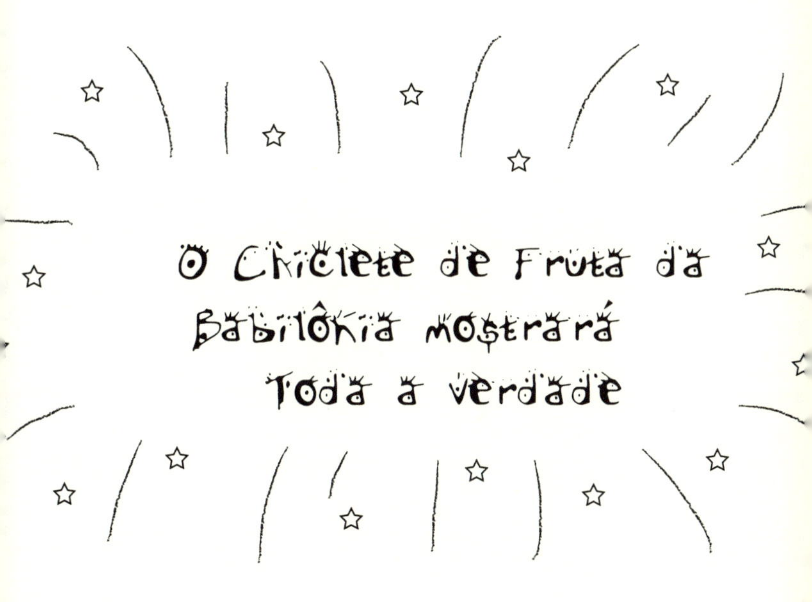
O Chiclete de Fruta da
Babilônia mostrará
Toda a verdade

E, de repente, Polly soube exatamente o que tinha de fazer. Com todas as suas forças, ela correu para a máquina de lavar, empurrou Jonathan Baleia para o lado e arremessou a esmeralda para dentro do Baleiazipificador. Ora, os goblins n ã o

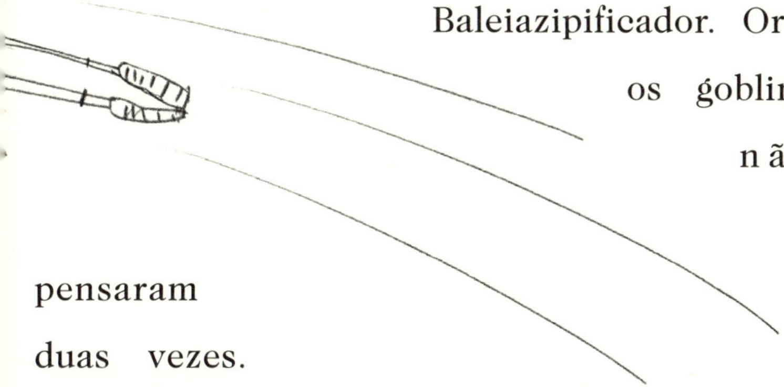

pensaram duas vezes. Mergulharam na máquina atrás da esmeralda, um após outro, desesperados para colocar suas garras na brilhante joia verde.

— Rápido, sr. Baleia, por favor! Feche a porta! — gritou Polly. — É muito pesada para mim, eu tenho só nove anos!

Com valentia, o guloso Jonathan Baleia bateu a porta e Polly ligou a máquina. Então, ela pegou o lendário Chiclete de Fruta da Babilônia do bolso de sua saia e jogou-o no recipiente para sabão em pó. Não houve nem sequer tempo para desembrulhá-lo.

— Espero ter feito tudo certo — ela suplicou... E dois segundos depois...

KABUUUUUUUUMMMMM!

A máquina chacoalhou para cima e para baixo como um bebê sacudindo um chocalho cheio de abelhas. A água se transformou em todas as cores do arco-íris e os goblins aprisionados rodopiaram loucamente no líquido borbulhante.

POP! Do nada, um goblin saiu do rodamoinho, deu um salto mortal no ar e aterrissou nos pés de Polly.

POP! Do nada, outro fez a mesma coisa.

POP! POP! POP! POP! POP! Lá foram mais cinco.

POP! POP! PÓPPITI-POP-POP POP! Havia mesmo montes deles agora.

Logo todos os goblins haviam sido cuspidos para a calçada. Então eles ficaram lá sentados, aturdidos e ofuscados pela luz do sol.

"Mas eles estão meio diferentes", pensou Polly. "Onde estão as nadadeiras, os ferrões e garras?"

Acontece que não eram mais goblins. Eram crianças com bochechas rosadas e rostos risonhos e felizes.

— Obrigado, Polly! — disse, rindo para ela, um garoto chamado Terry, que havia sido o Capitão Goró. — Você nos salvou!

— Eu era Grogue, que arrotava muito — disse uma garota minúscula chamada Caroline. — Mas agora olhem para mim. Voltei a ser a boa Caroline de sempre. O Chiclete de Fruta da Babilônia fez tudo ser como era antes!

— Mas que carambolas está acontecendo aqui? — disse Polly, surpresa, no que o restante dos heróis chegava, conduzidos por David Casserola, o prefeito da cidade.

— Bom trabalho, Polly! — ele disse sorrindo. — Você encontrou as trezentas crianças que haviam desaparecido em setembro!

Capítulo 13

A verdade sobre tudo

— Veja — disse Terry com um sorriso. — Eu não sou mais o Capitão Goró. Aquelas nadadeiras, aqueles ferrões e garras e coisas... aquilo não era de verdade. Eram só fantasias!

— Mas por que vocês se comportaram tão mal e fingiram ser goblins? — perguntou Polly, confusa.

— Me dá vergonha dizer isso, mas foi porque nós éramos crianças terríveis e muito mal-criadas — respondeu Caroline, dando um passo à frente com o rostinho corado. — Nós não gostávamos de ir à escola. Nem um pouquinho!

— E, numa tarde dessas, os professores fizeram a gente participar de uma peça escolar chamada *300 Goblins parados sem fazer nada* — explicou Alex (que costumava ser o goblin conhecido como Gordão).

— Só que a gente não queria fazer a peça — continuou a garota alta chamada Vicky (antes, Grifo).

— Então fugimos para a Montanha dos Goblins, ainda vestindo nossos trajes da peça — disse Eric (Gravatinha).

— E ficamos correndo sem enxergar para onde e vivemos como selvagens, e agimos tão loucamente que, no final, esquecemos que já tínhamos sido crianças — confessou Brian (Gosmento).

— Daí, um dia, o sr. Gum e o Billy William nos encontraram — disse Verônica (Gastão), e eles acharam que nós éramos goblins de verdade. Aí nós já havíamos esquecido tudo que tínhamos aprendido e até mesmo como se fala direito. Então formamos esse exército só para nos divertirmos.

— Mas agora o Chiclete de Fruta da Babilônia nos fez entender como a escola é importante — disse Terry. — Ou então a gente acabaria como o sr. Gum e o Billy William, que nunca aprenderam nada que preste. Mas, por favor, não nos faça voltar à nossa velha escola, porque ela não era boa!

— Garotos — disse Alan Taylor, que estava ouvindo tudo com atenção —, de qual escola vocês eram?

— Da Escola de Tédio Doutor Chatice, é claro — respondeu Alex com um suspiro.

— Ah, sim, já ouvi falar nela — comentou Alan Taylor. — Eles são muito antiquados. Mas na **Escola Santo Pterodátilos para Pobres**, acreditamos que devemos ensinar às crianças sobre o mundo natural e deixá-las fazer pinturas sobre o que realmente sentem.

— Ah, nós gostaríamos muito de ir para lá! — falaram as crianças em coro.

— Lamento — disse Alan Taylor, tristemente. — Não há vagas disponíveis.

Os rostos das crianças ficaram tristes.

— Brincadeira! — gritou o travesso biscoito, com os músculos elétricos batendo alegremente. — Venham comigo, vocês serão os meus primeiros alunos! — E lá foi ele se sacudindo pela montanha, com as crianças saltando, felizes, atrás dele.

— Olhem, garotos. — Polly escutou ele dizer quando eles desapareceram da vista. — Aquela coisa alta marrom é conhecida como "árvore".

Depois disso, todos se congratularam e o povo da cidade ficou muito alegre e festivo. Bem, quase todos.

— Você ia me jogar dentro daquela máquina, não ia? — perguntou Jonathan Baleia, cutucando o ombro de Martin Lavanderia com seu dedo gorducho.

— Ia mesmo — admitiu Martin Lavanderia, tentando parecer envergonhado. — Mas.... hum... agora o Chiclete de Fruta da Babilônia me

mostrou como eu estava errado em minhas intenções ...

— Deixa pra lá, seu magrelo — disse Jonathan Baleia, muito sério. — Você é um chato, sabia?

— Tudo está de volta ao normal — disse Polly, sorrindo e olhando em volta, no que Martin Lavanderia era esquecido por todos. — Mas esperem... e o sr. Gum? E o Billy?

— Não se preocupe com eles — disse Sexta-Feira, dando um tapinha no nariz dela. — Deixei os dois na colina Boaster. Prometeram me esperar até eu voltar com alguma coisa para amarrá-los. E olhe só... — disse ele com orgulho. — Comprei uma corda forte e bem bonitona... O que houve, Polly?

— Aqueles dois miseráveis enganaram você — disse Polly, balançando a cabeça, triste. — Aposto que eles estão fugindo neste momento.

— Bobagem — disse Sexta-Feira, confiante. — Eles ainda vão estar lá. Apesar de tudo, o sr.

Gum e o Billy William são homens de palavra. Eles... Epa! – exclamou Sexta-Feira, percebendo que tinha sido enganado por mestres do crime. — Eeeepa!

— Tudo bem, Sexta-Feira — disse Polly. — O mais importante é que está tudo certo em Lamonic Bibber e é hora de uma grande festança!

Assim, lá foram eles para a praça da cidade e encontraram a festa já rolando. E que farra! Quase todos estavam lá — a Vovó Velha, a menina que se chamava Pedro, Marvin Maravilha, o lutador aposentado... Feijão Mcleão, que adorava coisas que rimavam, estava batendo papo sobre um gato que morava no mato, e Jake, o cachorro, estava ajudando a sra. Gracinha a fazer doces, lambendo as migalhas que caíam no chão. Quando a sra. Gracinha se virava de costas, ele ajudava fazendo mais migalhas caírem no chão, de propósito.

— Mas onde está o Espírito do Arco-Íris? — perguntou Polly, olhando em volta. — Ele devia estar aqui se divertindo com a gente e mostrando a todo mundo que cara espetacular ele é!

— Aquele rapaz honesto não se importa com recompensa e fama, mocinha — disse Sexta-Feira sabiamente. — E é por isso que ele é o Espírito do Arco-Íris, em vez de um jogador de sinuca ou algo do gênero.

Ah, está bem. Vou contar a você quem mais apareceu. Foi aquele coelho da montanha. Ele pulou para o bolso da saia de Polly e ficou ali o resto do dia, bebendo suco de laranja. Ah, e Alan Taylor voltou da montanha com seus novos alunos. Aliás, eles já tinham feito muitas pinturas impressionantes mostrando como realmente se sentiam, e todos bateram palmas.

— Bom trabalho, crianças — disse Alan Taylor, e ele as presenteou com estrelas minúsculas douradas e dez "bônus Alan" para cada um.

Do bolso da saia de Polly, o coelho observava alegremente toda a festa. *Tudo está bem quando termina bem*, seus olhos verdes brilhantes pareciam dizer. *Hum... este suco de laranja é dos bons*.

As risadas e as brincadeiras continuaram, e ninguém riu mais alto nem brincou mais do que Polly e seu bom amigo Sexta-Feira O'Leary. Porque, embora suas pernas estivessem exaustas da longa jornada, seus corações estavam explodindo como pêssegos deliciosos por estarem de volta ao lugar que eles tanto adoravam.

— Olhe, Sexta — exclamou Polly, por fim. — A neve está derretendo. O sol está saindo, muito orgulhoso, e logo os sorveteiros vão voltar à ativa!

— Creio que você está certa — disse Sexta-Feira. — Que aventura nós vivemos! Vou te dizer... — Ele foi pegando seu violão azul. — Isso pede uma canção!

— É melhor se apressar então — disse Polly. — Tenho a sensação de que está acabando nosso tempo.

— Tempo, mocinha? — disse Sexta-Feira, rindo. Por que isso, se nós temos todo o tempo do

FIM

Olá de novo.

Sabe? Polly e Sexta-Feira não são os únicos que vivem aventuras em Lamonic Bibber. Todos sabem que a Vovó Velha, a mulher mais velha da cidade, participa de muitos lances interessantes também. E enquanto toda aquela confusão goblin estava acontecendo, VV estava vivendo a sua aventura particular...

A aventura do casaco da Vovó Velha

Num dia frio de inverno, a Vovó Velha acordou em sua grande cama de bronze de antes da guerra, tomou um pequeno gole de xerez, que ela sempre guardava ao lado da cama, e levantou-se. Escovou sua dentadura com sua escova de dentadura e tomou um pequeno gole de xerez da garrafa que ela guardava no banheiro de antes da guerra. Então, desceu as escadas, comeu um pouco de cereal e ligou sua velha TV de antes da guerra. Na verdade, muitas coisas da casa da Vovó Velha eram de antes da guerra, então acho que vou parar de repetir isso agora.

Então a Vovó Velha tomou um gole de xerez de uma pequena garrafa que ela sempre guardava atrás do armário. Daí, ela tomou um gole de uma pequena garrafa que ela sempre deixava escondida na primeira garrafa.

Depois, ligou para seu irmão, o Vovô Velho, no seu imenso telefone preto fora de moda.

— Alô, Vovô Velho — disse a Vovó Velha. — Como vai você?

— Velho — respondeu o Vovô Velho.

— Eu também — disse a Vovó Velha. — Ótimo, não é?

— Ah, sim, e eu estou sempre metido em aventuras — replicou o Vovô Velho. — Por exemplo, nesta manhã eu encontrei uma moeda de 1 centavo no chão da cozinha. E na semana passada encontrei uma moeda de 1 centavo no chão da cozinha.

— Talvez fosse a mesma moeda — disse Vovó Velha.

— Talvez — riu o Vovô Velho. — Que mistério intrigante que é tudo isso, hein?

— Não me meto em aventuras há séculos — disse a Vovó Velha melancólica. — Minha última aventura de verdade foi aquela de 1978, quando eu fiz parte daquela banda de punk rock. Você se lembra?

— Ah, claro — respondeu o Vovô Velho. — A Vômito Rançoso. Era uma ótima banda. Tenho todos os seus discos, mas só porque sou seu irmão.

— Eu sei — suspirou a Vovó Velha. — Bem, é melhor eu desligar, Vovô Velho. Afinal, você mora na Austrália, não é? E você está dormindo em sua cama.

— Isso mesmo — respondeu o Vovô Velho. — Me ligue se você tiver outras aventuras. Tchau.

Bem, a Vovó Velha ficou lá sentada por algum tempo, sonhando acordada. Depois, resolveu sair para comprar leite e um pacote daquelas balinhas especiais horríveis que somente as pessoas velhas têm permissão para comprar e mais xerez... e foi quando a aventura começou...

— Não consigo achar meu casaco! — ela disse, surpresa. — Onde pode estar?

Meu Deus, que aventura! A Vovó Velha deve ter procurado aquele casaco por aproximadamente 3 minutos! Mas, finalmente, ela o encontrou. Estava no chão da cozinha.

— Espere até o Vovô Velho saber de tudo isso! — riu a Vovó Velha, pegando o telefone mais uma vez. — Ele vai chamar esta aventura de *O caso descasacado*!

E chamou mesmo.

FIM

Este livro foi composto na tipologia Caslon,
*em corpo 13/21, e impresso em papel off-white 90 g/m², *
na gráfica Markgraph.